国民の違和感は9割正しい

堤 未果
Tsutsumi Mika

PHP新書

はじめに

最近、〈なんだかおかしい〉と、感じることはありますか？

２０２４年３月４日。『日本経済新聞』が出した夕刊記事「東京株式市場で日経平均株価が史上最高値更新」によると、89年のバブル期を超える、４万円台を突破。証券会社や企業のトップが、歓声を上げる姿がテレビに流れました。

岸田文雄総理が掲げた「所得倍増」では、給与はちっとも上がらないのに、国民は自己責任の「資産倍増」をやたらに推され、猫も杓子（しゃくし）も「新ＮＩＳＡ」デビューしたのです。

かつてのバブル期とは違い、円安で国内企業が買い叩かれると、外資系企業が喜び、内需は冷え込み、庶民の生活は苦しくなるでしょう。

業界では近いうちに大暴落の噂がささやかれるこのタイミングで、政府とメディアと金融業界が、投資をするなら今がチャンス！　とばかりに過剰に煽る光景は、コロナ禍でのパソナ・電通による、《マイナカード大感謝祭》を思わせます。

裏金内閣の財務大臣が「安定した資産形成」などとベタ褒めする姿も、不吉を感じずにはいられません。

違和感のアンテナが鋭い人なら、新ＮＩＳＡ祭の背後に見え隠れするアメリカの影や、マイナンバーと紐づく口座が一気に増えることで、財務省と河野太郎デジタル大臣がほくそ笑む姿に、もう勘づいているでしょう。

２０２０年以降、日本でも政府やマスコミの言うことやることに、モヤモヤした違和感を覚える人が、急激に増えてきました。

言葉で説明できなくても、周囲から浮きそうで口に出せずとも、違和感は、私たちが太古から持つ動物的本能、危険を知らせるアラームです。

年齢と経験値を重ねるほどに、この何だかモヤッという感じが、後になって「やっぱり！」と腑(ふ)に落ちる精度が上がってゆくでしょう。

うずらの卵で一人窒息死が出ると、大騒ぎして全ての卵を廃棄するのに、ワクチン後に数万人死亡しても、立ち止まるどころかわざわざ工場で大量生産し、定期接種を推奨してくる国。スター選手大谷翔平の結婚報道の陰で、タネや水道に続く、通信インフラ（ＮＴＴ）の民営化や、緊急時に自治体や農家や病院の主権を取り上げ、国の支配下に置く法改正。脱税している人が納税を呼びかけ、法律を守らない人が憲法改正を訴え、戦争に行かない人が戦争の準備をせっせと進める今の日本を、おかしいなあと感じている人は、どんどん増えているのです。

実はこの本は、当初全く別テーマで進めていたのですが、二〇二四年元日以降こうした動きが急激に加速し、私の中でアラームが鳴ったため、以前からリクエストの多かったこちらの企画に、急遽変更したのでした。

ＳＮＳ企業と政府が情報を囲い込み、異なる意見は封じられ、全体主義の空気がじわじわと迫る中、疑問を持たず問うこともせず、黙って言われるまま従っていれば、気づいた時には主権を失い、ディストピアに生きているかもしれません。

けれどももし私たち国民が、違和感を決して見逃さず、思い込みを外し、冷静に問いを立て、意図的に行動を起こすなら、自分と家族だけでなく、祖国や地球の未来まで、必ず守れることでしょう。

この繊細な感性を、私たち日本人は皆、先人から受け継いでいるのですから。


〈謝辞〉

本書を世に出すために、国内外で取材に協力して下さった方々、ご教示をいただいた方々、資料や体験談をご提供いただいた方々、引用及び参照させていただいた著者や執筆者の方々、最後まで妥協せず、併走してくれたPHP新書の西村健編集長、多忙な私を臨機応変に支えてくれる堤未果オフィススタッフ、いつも励ましてくれる家族（＋愛猫たち）へ、この場を借りて感謝の意を捧げます。

そして、今この瞬間も、言論の自由のために闘い続ける全てのジャーナリストと、未来を選ぶ自由を決して手放さないと決めた、世界中の仲間たちへ、愛と慈しみをこめて。

二〇二四年三月

堤　未果

国民の違和感は9割正しい――目次

第1章 災害の違和感〜立ち止まれますか？

第2章 「戦争と平和」の違和感〜お金は嘘をつかない

第3章 〈いのちは大切〉の違和感～虫の声が聞こえますか？

第4章

〈真実とウソ〉の違和感～先入観を外せますか？

第5章 〈民は愚かで弱い〉の違和感〜未来は選べる

第1章

災害の違和感

～立ち止まれますか？

能登半島地震初日に鳴り響いたアラーム

２０２４年1月1日午後4時10分過ぎ。

京都の自宅でグラグラとした横揺れを感じ、びっくりしてテレビをつけると、ＮＨＫの女性アナウンサーの、切羽詰まった声が部屋中に響きました。

「大津波警報が出ました‼　今すぐ高いところに逃げること！」

「テレビを見ていないで逃げて下さい！」

石川県能登地方を、最大震度7の地震が襲ったのです。

海に囲まれた能登半島へ入るには南からのルートしかなく、道路は寸断され、津波と海底隆起の影響で海から近づくのも難しい、ヘリで空輸するしかない状況でした。

自衛隊も６０００人強が市内に駐屯していた２０１６年の熊本地震と違い、金沢市にいる隊員は１２００人で、とにかく人員が足りません。

あたりはどんどん暗くなり、このままでは家が潰れて下敷きになった人の捜索もできなくなってしまいます。この日の珠洲(すず)市の最低気温はマイナス１度、被災地は広範囲で停電も起き、暖房が消えてしまっているのも不安を呼びました。

「東日本大震災を思い出して下さい！」

あの時アナウンサーが叫んだこの一言は、多くの国民に響いたでしょう。

そして同時に、これが今の日本に生きる私たちにとっての、過去から鳴らされた警鐘(けいしょう)であることに、時間が経つにつれ、多くの国民が気づき始めることになるのです。

２４１人が死亡し、７万８０００軒の住宅が損傷。この地震で多くの人が感じた違和感は、政府対応の速度でした。

日本は地震大国です。

東日本大震災のみならず、中越沖地震に熊本地震と、国民は次々に各地で大きな揺れを経験していますから、「おかしいな」という声が、すぐに上がり始めました。

午後４時10分の地震発生から、約90分後に設置されたのは、熊本地震より緊急度が低く、総理も参加しない「特定災害対策本部」でした。

そこで、30分だけ会議を開いて、その日はおしまい。

これを2016年の熊本地震と比較して、ずいぶん遅いと感じた人は少なくありません。あの時の自民党政権では、地震発生の44分後には〈非常災害対策本部〉が設置され、1時間後にはもう安倍総理出席の下、一回目の会議が開かれていました。

岸田政権は当日夜22時40分に、もう1段階上の〈非常災害対策本部〉に格上げしていたにもかかわらず、なぜかその夜に会議は開いていません。

やっと開催されたのは一夜明けた翌朝、すでにこの時点で地震発生から18時間経過、その会議も一回のみ、わずか20分で終わってしまいました。

その後も1日1回で、時間はいずれも15分~20分程度です。

これについても不可解だと感じた人は少なくなく、「どうしてこれだけ?」と指摘する声が上がりました。

熊本地震の時は、深夜にも早朝にも、もっと長時間、1日に何回も、この会議が開かれていたからです。

災害から参議院で「災害対策特別委員会」が開催されるまでにかかった日数

2016年４月14日	**熊本地震**	＝12日後
2018年７月８日	**西日本豪雨**	＝11日後
2019年９月９日	**台風１７号**	＝22日後
2024年１月１日	**能登半島地震**	＝１ヶ月半後

2024年2月16日　参議院災害特別委員会より

東日本大震災では、翌日夜には〈激甚災害指定〉（とても被害が大きいため、国から特別な財政援助を必要とする災害）にされていましたが、今回は指定されたのが、発災から10日経った1月11日だったのでした。

〈一体全体、どうなっているのだろう？〉

２００１年9月11日に、ニューヨークで同時多発テロがあった時のことを思い出します。

情報が入らず、何が起きているかわからない状況が、人々の不安を膨（ふく）れ上がらせ、噂や憶測がゆがんだ形で拡散し、パニックを引き起こしていったことを。

国民への情報公開が、どんどん悪くなっている

災害があった時、被災地の状況や、各省庁からの現場報

告、どんな救助がどこまで進んでいるか？　総理は何を指示しているのか？　などは、会議の記録を見ればわかります。

例えば熊本地震の時も、議事録や豊富な資料がすぐに公開されており、国民はいつでもそれを見て、状況を確認することができました。

ところが今回は、熊本地震よりひどい状況にもかかわらず、前に比べて明らかに情報が少ないのです。

最初の1週間など、ほとんど資料もなく、何を話していたのかもよくわかりません。

自身が熊本地震で被災したために、他人事（ひとごと）とは思えず、政府の会議録を毎日チェックしていたというある会社員の男性は、あの時の政府対応とのあまりの差に、ショックを受けたと、語ります。

「災害の時はまず、何が起きているかを知りたいですね。

特に地震は日本人にとって、いつどこで次が起こるかわからない、明日は我が身の災害でしょう？　首都直下型や南海トラフ……しょっちゅう騒がれてるじゃないですか。

だからこそ、今回の、政府の対応の遅さは解(げ)せないんです。

何よりも、国民への情報公開が、前よりさらに悪くなっている」

覚悟のない総理の新年会参加と1000万円の万博予算

今回、国民の多くが違和感を覚えた最大要素の一つは、地震発生から3日後の、岸田総理の態度でした。

1月4日の年頭記者会見で、岸田総理は手元の原稿を、目線を落としながら淡々と読みました。

こんな緊急時こそ国民は、国のリーダーである総理には、官僚の書いた紙をただ読むのではなく、自分の言葉で被災地と国民に心を込めて呼びかけ、安心させてほしいもの。

たとえカンペがあっても、今日くらい、顔を上げて、自分の言葉で国民に語りかけて、覚悟を見せてほしかった、という多くの落胆の声がネットに上がります。

米国依存からの自立を訴え続けた、石橋湛山（たんざん）元総理は、こんな言葉を残しています。

〈最もつまらぬタイプは、自分の考え、言葉を持たない政治家だ〉

さらにこの後の行動が、またもや国民の怒りを買いました。

記者会見の後、フジテレビの「プライムニュース」に出演し、笑顔で総裁選への思いを語ったのです。

続いて翌日5日には、経団連の新年会に出席。

地震に関係ないこの一連の動きに、〈まだ生き埋めの国民がいるのに新年会か！〉〈テレビで総裁選の話をしている場合か！〉と突っ込みが飛びました。

同じことが起きた時の政府対応を想像し、不安になった国民も少なくないでしょう。自分の地元で
一方、馳浩（はせひろし）石川県知事は、県の予算から1000万円を大阪万博関連事業に入れると発表し、これまた多くの国民の怒りを買いました。

今は、万博よりまず被災地では？　という質問に対し、知事が会見で言った、「私は維新の顧問なのでね」という発言で、さらに炎上。自民党に籍をおきながら維新の顧問をするという奇妙な立ち位置から、まるでお友達に公金を回すんだと言わんばかりのその態度が、被災者と県へ寄付してくれた人々の感情を逆撫でしたのです。ちょうどその頃、万博は、３５０億円のリングに2億円のトイレなど、法外な備品価格が批判されていた、何とも最悪のタイミングでした。

総理と知事に共通しているのは、被災地への関心がよく見えないこと。

ある地方紙の記者は呆れた顔でこう言いました。

「これだけの災害が起きて、避難所では凍死者まで出ているのに、なぜか総理も知事も、被災地自体への関心が感じられない。知事はまだ当選したばかりで経験がないと言うが、あそこは前にも地震があった地域じゃないか。

そして一体、あの原稿棒読み総理は、何も覚悟がないのかね……？」

いいえ、総理の中にはちゃんと、別な覚悟がありました。

災害ショックドクトリン――危険な閣議決定はこっそりと

1月17日。

政府が月末に始まる国会に出す、ある法案の中身が公表されました。

その名も、「地方自治法改正案」。

政府が「緊急事態」と判断したら、「閣議決定」一つで、地方自治体から主権を奪い、速やかに国の指揮下に置くというルールです。

都道府県は、国の指示に従わなければならず、方針が決められる際には、必要資料なども出さなければなりません。

今回の地震で、〈初動が遅い〉〈ボランティアに来るなと県が過剰に拒否したことで、被災地に物資が十分届いていない〉〈知事の動きがとても悪い〉など、政府の対応に国民の不満とストレスが最高潮に高まったタイミングを見計らって、出てきたような法改正でした。

地方自治法改正案のポイント

- 非常時であれば、個別法に規定がなくても、国が自治体に必要な指示ができる
- 閣議決定を経るのが条件
- 自治体は指示に応じる法的義務を負う
- 国が非常時への対処方針を検討する際、自治体に資料の提出を求められる

出典：共同通信2024年１月17日付

「緊急時に、国の統制力をしっかり強め、行政の混乱を防ぐために改正しました」

知り合いの経営者にこの話をすると、彼はこういいました。

「政府の判断はやむないね。あんなに初動が遅いと、助かるものも助からないんだから。

いまだに被災者が体育館に雑魚寝（ざこね）している映像を見ると気の毒でならない。維新にべったりのあの知事は、万博で頭がいっぱいだそうじゃないか。次また他の地域で地震が起きたら、国が指揮をとってすぐ対応できるようにしておくしかないだろう」

本当にそうでしょうか？

たしかに国連の報告書によると、日本は地震の規模、発

生率ともに世界4位の災害大国です。日本に住んでいる限り、能登の惨事は他人事ではありません。

でもここで、一旦立ち止まってみましょう。

政府が急に〈法改正〉を言い出した時は、まず、今の法律が、どうなっているかをチェックしてみて下さい。

案の定、〈災害対策基本法〉第108条の3に、国は緊急事態の時、国民に協力を要求できる、とちゃんと書いてあるではないですか。

わざわざ今このタイミングで、「緊急事態に国からの指示に従う」ことを義務化する必要はありません。

なのにあえて、それをやる。「違和感」のアラームが鳴りはじめます。

次に〈地方自治法〉の方を見てみると、第245条の2に、「法律がなければ、国または都道府県は自治体に関与できない」と書いてありますから、国と地方は、そもそも上下ではなく、対等な関係のはずですね。

「能登半島地震」のどさくさに便乗し、閣議決定一つだけで、地方自治体に政府のいうことを聞かせる法改正をするのは、一体何のためでしょう？

これはまさに、岸田総理の悲願である、「憲法改正」の中の「緊急事態条項」の地ならし、地方から外堀を埋めてゆく作戦に他なりません。

権力を中央に集中させ、憲法92条が定める地方自治の柱を根底から揺るがし、日本という国のあり方を変えてしまう危険な法改正です。

ちなみに閣議決定というのは、内閣が「基本的な方針」を会議で決めるだけ、野党から反対意見が出るわけでもなく、とっても手軽で簡単です。

えっ、そんな重要なルール変更なら、なぜ誰も騒がないの？

答えは、国会審議をしていないからです。

そのせいで、中継もされず、話題にもならず、国民のほとんどが、気がついていません。

思い出して下さい。

もしも緊急事態になったら？？

＊災害の時＝災害対策基本法、警察法、自衛隊法で対処可能。
＊テロ発生時＝国民保護法、事態対処法という極めて強力な法制度あり。
＊内乱や戦争発生時＝自衛隊法や国民保護法、および外交で対処。
＊感染症蔓延＝新型インフルエンザ対策特別処置法、感染症法、検疫法で対処可能。

©堤未果オフィス作成

パンデミックやウクライナ紛争など衝撃的なニュースの陰で、いくつもの重要法案が静かに通過していたように、私たち国民にとって重要な法律ほど、知らないうちに通されてしまう、この国のパターンを。

ここまで読んで、あっ、と気がついた読者もいるでしょう。

地方自治法改正の中身が公表された日、テレビのコメンテーターもＳＮＳも国民感情も、ある別なニュースにジャックされ、それどころではなかったことに。

パーティ券の売り上げをキックバックされた安倍派幹部議員七人が、不起訴にされたというビッグニュースに、国民は激怒していたからです。

ワイドショーは検察への批判コメントで盛り上がり、スポーツ紙の見出しもこれ一色。さらにこの日に『週刊文春』が、『ダウンタウン松本人志の性加害スキャンダル』第3砲を公開しており、地方自治法改正など、ネットの話題にすらなりませんでした。

今国会で設置予定の「憲法改正条文案起草機関」で創設される「緊急事態条項」は、一体誰の悲願だったでしょうか？

1月30日に行なった通常国会の施政方針演説で、総理はしっかりと顔をあげ、自分の言葉で、力強くこう訴えていたのです。

「自分の総裁任期中に、憲法改正を実現したい」

そしてその1か月後、改正地方自治法が閣議決定されたのでした。今後、緊急事態条項、そして憲法改正への道筋がどうつくられていくのか、注視していかなければなりません。

地震・雷・火事・オヤジ。それでも「原発」は安全です⁉

能登地震のニュースの後、海外の友人たちが次々にこう問い合わせてきました。

「ニュース見たよ、大丈夫!? 原発は?」

2011年3月11日の東日本大震災で、福島第一原発が人類史上最悪の事故を起こした日本で、地震が起きた! となれば、世界は真っ先にそこを心配するのです。

今回、震源地から65キロの場所で震度5強の揺れを受けたのは、今は止まっている志賀原発(石川県羽咋郡志賀町)でした。

北陸電力は、地震翌日に記者会見を開いてこう発表します。

「外部電源は一部使えませんが、安全上必要な機器の電源はちゃんと確保しています」

震度6弱以上の地震が起きると、原子力災害対策のガイドラインに沿って、原発は「警戒事態」扱い。今回は震度7なので、原子力規制庁は原発周りを「警戒区域」に指定し、原子炉の「止める・冷やす・閉じ込める」機能や、使用済み核燃料の冷却状態をチェックするための〈原子力規制委員会・内閣府原子力事故合同警戒本部〉を設置したのでした。

そしてここでも発表は北陸電力と同じ、「原発は安全です」。

本当にそうでしょうか？

こういう時は、「安全です」という結果発表だけでなく、そこに至る経緯もチェックしてみましょう。

すると案の定、あれ？　と引っかかる箇所があったのです。

たしかに、原子力規制委員会はすぐに「警戒本部」を立ち上げたのですが、なぜかこの本部は、当日は5時間半経ってから、翌日は開いたけれど40分で終了、数日後には会議ごと廃止されていたのでした。

さらに、原子力規制委員会のホームページには、地震から24時間経っても「緊急情報」は何もなし。

3日経っても、3週間経っても更新されていなかったのです。

なぜ原子力規制委員会は、一度は立ち上げた対策本部をすぐに廃止して、監視をやめてしまったのでしょう？

もう一つ奇妙だったのは、世界が注目している原発について、岸田総理が数日経っても何も触れなかったことでした。

「総理、原発について質問させてください」

「地震から3日経過したのに、いまだに総理は原発についてコメントしていません」

1月4日の総理会見でも、原発のげの字も出てこないことに痺(しび)れを切らした記者の一人が、そう質問しました。

ところが、日頃から「聞く力」を自慢しているはずの我が総理は、なぜか一瞬にやりと笑い、何も聞こえなかったかのように、さっさと会場を出て行ってしまったのです。

政府発表を鵜呑みにすることはできません

原発の問題について違和感を抱いていたのは、国内だけではありません。

韓国のYTNテレビは、原発についてこんなふうに取り上げました。

〈新年明け、能登半島西部にある志賀原発にて、人が立てないレベルの震度7が観測されました。

この時の衝撃で、志賀原発の変圧器の配管が損傷し、7日に原発排水溝周辺の海で横10メートル縦5メートルの油膜が発見され、続いてそれよりも60倍も広範囲の油膜が発見されました。

けれど電力会社も日本政府も、安全に問題はないと発表しています。

さらに冷却水の一部が溢れ出て、空気中の放射線量測定器は120個中18個が一時使用できなくなりましたが、これについても、電力会社と日本政府は、どちらも大きな問題はないとの立場を取り続けています。が、しかし、2011年の福島原発事故を思い出すと、この発表を鵜呑みにすることはできません……〉

その通り、鵜呑みにはできませんでした。

「安全です」という言葉を紋切り型に繰り返しながら、実は3メートルもの津波を最初「ない」と言ったり、漏れた油の量も実は5倍の量だったりと、後になるにつれ、その内容が悪化してゆく志賀原発の情報の出し方は、国民、特に被災した現地の住民たちにとっては、逆に不安にさせられます。

結局1月末になって、破損した外部電源の復旧に「半年」以上かかるほど、被害が深刻だったことがわかったのでした。

原発事故が起きたら逃げ場がない

原発は、巨大な利益が動くインフラです。

他のどの建物とも違い、建設や運営にかかる経費を全て電気料金に上乗せできるため、動かしている限り打ち出の小槌（こづち）のように、富を生み続けてくれるからです。

地方自治体も、国から「自己責任でやれ」と冷たく突き放され財政難の中、原発を動かしている限り、電力会社からの固定資産税や、政府から色々な原発交付金が毎年潤沢（じゅんたく）に入るので、それを使って地域の公共施設を建てたり住民のためのサービスを作ったりすることを、ついあてにしてしまいます。

原発が動いていなければ、電力会社は料金が取れず負債ばかりが増えてゆく上に、自治体にも通常の68%しか交付金が入りません。

だから一刻も早く再稼働したいのです。

日本政府や石川県、経済界はこれまで、奥能登の活断層を把握していたにもかかわらず、対策を怠（おこた）ってきたのでした。

ところが今回の地震では、再稼働の大きな条件の一つが吹き飛んでしまいました。

不測の事態が起きた時の、避難経路がなかったのです。

これでは万が一原発が損傷して放射性物質が漏れ出した時、住民は逃げることができません。さらに、今回のように、家屋が軒並み潰れてしまって屋内退避もできないところに、放射線量を計測する機器も18箇所壊れていたとなると、最悪の場合、風に乗って放射性物質が迫ってきても逃げ場がないという、ホラーな状態になってしまいます。

ところが再稼働の審査条件には、この肝心の「避難計画」が、チェック項目に入っていません。

ここだけ自治体の自己責任、つまり丸投げなのです。

もしちゃんと条件にあったら、今回の志賀原発は即ひっかかっていたでしょう。地震の1週間前に「燃料も高騰してるし、すぐにでも原発を再稼働すべきだ！」と訴えて当選した稲岡健太郎志賀町長も、さすがに避難経路が寸断されたのをみて態度を一転、「やっぱり再稼働は慎重にすべきだ……」と言い出しました。

この地震で志賀原発周辺の断層のゆがみがさらに大きくなり、新たな大地震の危険性が指摘されていることを、私たちは忘れてはなりません。

「非国民」と叩かれても、28年かけて珠洲原発を止めた人々

実は、志賀原発の近くに、もう一つ別の原発が計画されていたのをご存知ですか？

関西、中部、北陸の三大電力会社が1976年に計画し、高級接待やさまざまな形での金銭援助によって、次々に地元民を取り込んでいったのです。

当時賛成派と反対派は真っ二つでしたが、反対派の人たちは絶対に諦めず、粘り強

い働きかけを続けることで、最後には計画自体を廃案に追い込んだのでした。

原発を推進する政財界から「非国民」だと非難され、まるで見せしめのように珠洲市のインフラ整備を後回しにされたりと、途中さまざまな嫌がらせを受けても最後まで諦めなかった珠洲市の人々は、今回の地震の後、多くの被災者から、「よく止めてくれた」と感謝の言葉をかけられたのです。

珠洲原発が建つはずだった場所は、地面が数メートル隆起しており、もし原発があったら、大変なことになっていたでしょう。

危険物の山と化した太陽光パネル

原発ゼロのかけ声と共に、東日本大震災の際に一気に巨大市場となった太陽光パネルはどうでしょう？

２０２４年１月２日。

経済産業省が、X（旧ツイッター）にこんな投稿をしました。

経済産業省
@meti_NIPPON
フォロー

太陽光パネルは、破損した場合でも、日の光が当たると発電をする可能性があるため、むやみに近づかないようにご注意下さい。また、復旧作業にあたられる際も十分ご留意下さい。#地震 #meti_saigai #停電 #太陽光パネル

午前7:18 · 2024年1月2日 · 221.9万 件の表示

経済産業省のXより

〈太陽光パネルは、破損した場合でも、日の光が当たると発電をする可能性があるため、むやみに近づかないようにご注意下さい。また、復旧作業にあたられる際も十分ご留意下さい。

また、ご自宅の屋根などに太陽光発電パネルを設置されている方は、停電時でも太陽光発電パネルの自立運転機能で電気を使うことができますが、感電の危険がないか、充分確認してから使用してください〉

東日本大震災の後、最速で全国に普及させようと、固定買取価格制度を作り、建築基準法の適用外にした結果、ネコも杓子も参入し、今や全国にやたらと乱立している太陽光パネル。

でもふたを開けてみると、自然災害にめっぽう弱い上、太陽が当たっている限り発

主な風による事故事例

愛知県 愛西市	2018年にパネル276枚が飛散。うち24枚が敷地外に飛び水道施設に被害
長崎県 佐世保市	17年にパネルが飛散し対策を施すも、20年に再びパネル400枚以上が飛散
鹿児島県 南九州市	20年にパネル233枚が飛散。うち73枚は敷地外に飛び畑や太陽光設備が破損
三重県 大紀町	18年にパネル60枚が飛散、うち20枚は敷地外に。耐風強度を把握するための構造計画書を事業者は紛失
徳島県 阿南市	17年にパネル100～200枚が敷地外に飛散し家屋などに被害

出典：日本経済新聞 2023年10月24日付

電するので、災害時などには下手に近寄ると感電する〈危険物〉になってしまいます。

能登半島地震でも、パネルの重さで屋根の耐震強度が弱くなった家が、大量に倒壊していました。

『日本経済新聞』によると、２０１５年から２０２２年度までの8年間で、太陽光パネルなどが倒壊・飛散する事故が90件以上起きています。

パネルの寿命は10～20年ですが、リサイクルもできず、業者は廃棄物までは責任を取ってくれません。

雨が降ればシリコン系のパネルからは鉛（なまり）が、化合物系のパネルからはヒ素やカドミウム、セレンといった発がん性の有害金属がどんどん流れ出し、地面を通って地下水に入り込みます。

屋根への設置にじゃんじゃん補助金を出して普及させた米カリフォルニア州では、寿命が来たパネルの処理に困り果てて地面に埋めた結果、地下水の汚染が深刻な問題になっています。

小池百合子都知事が、２０２５年4月から新築の屋根に太陽光パネル設置を義務化しましたが、一体、東京都が抱える首都直下型地震の際のこうしたリスクを、どう考えているのでしょう?

多くのメガソーラーが設置されていた石川県には、大量の残骸が危険物として散らばっていますが、感電リスクがある上に有害物質が土壌や地下水に流れ出すこれらの廃棄物をどうするのか？　という話は、なぜか議論のテーブルには乗りません。

東日本大震災の時に作られた固定価格買取制度に国内外から投資家たちが群がった結果、今や日本は、国土面積に対する太陽光パネル設置率と発電量が世界一になってしまったことを、皆さんは知っていますか?

面積にすると約１４００平方キロメートル、東京ドーム3万個分です。

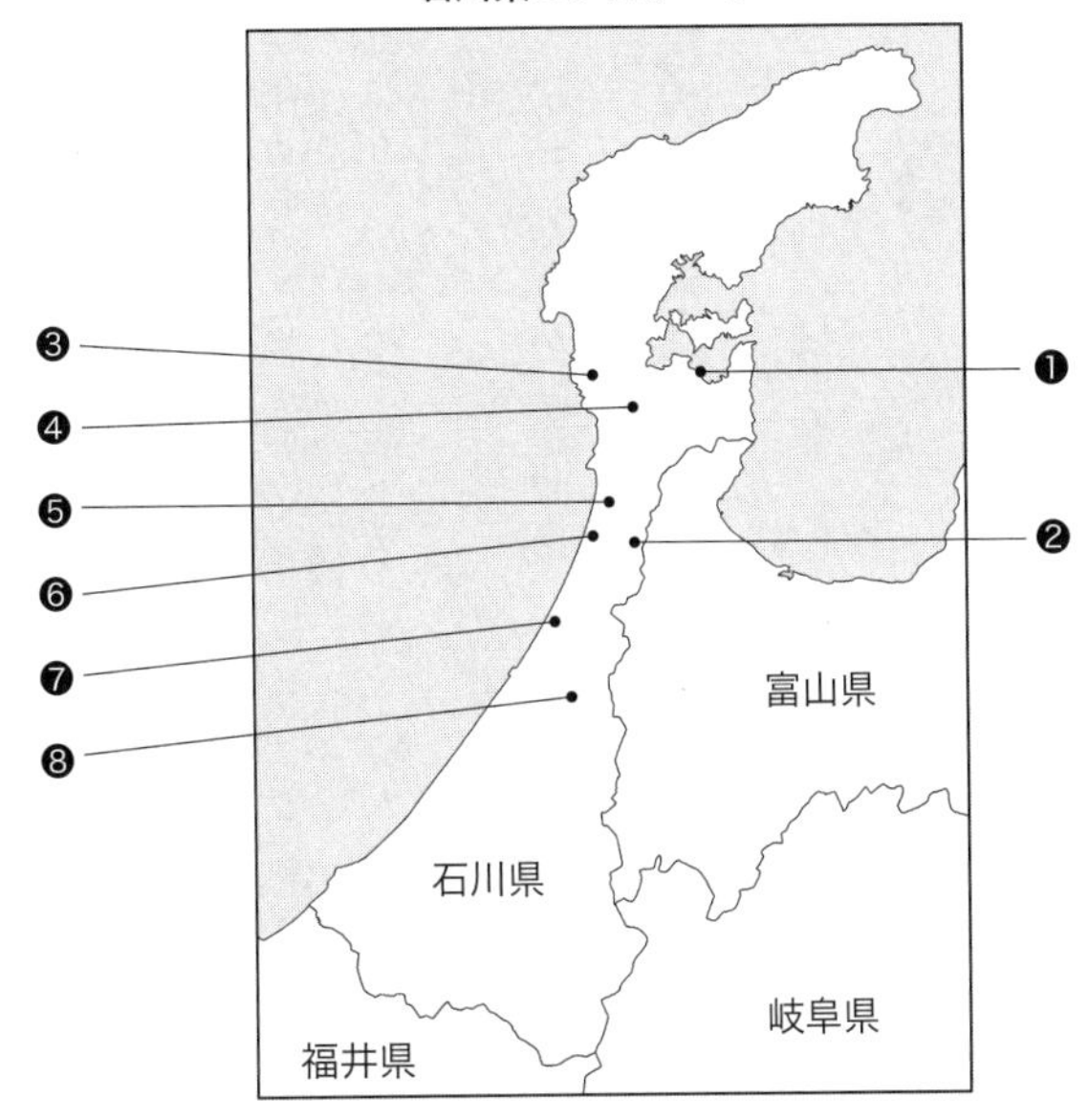

❶ SOLAR ENERGY 七尾太陽光発電所
❷石川沢川太陽光発電所
❸茶臼山ソーラー
❹石川県志賀町メガソーラー発電所
❺ SOLAR ENERGY 宝達C太陽光発電所
❻石川第八発電所
❼石川１号発電所
❽日豊メガソーラー角間発電所

出典：Googleマップ

もう平地は足りないのでどんどん山の方に参入し、日本熊森協会のデータによると、2022年までに切り倒された森林はなんと2万3000ヘクタール、まさに「お金ファースト」の本末転倒な状況でしょう。

政府は、能登半島地震がもたらした大量の危険物の山を無視して、2030年までに36〜38%の再生可能エネルギー導入を目指すという姿勢を、今も変えていません。

2030年までに800万トンの〈緑の廃棄物〉を出すと言われる太陽光パネルを、政府と企業がゴリ押ししてくるのは、一体誰のためなのでしょう?

世界一の水道技術と「水道管がボロボロ」の違和感

今から半世紀ほど前、作家の山本七平は言いました。

「日本人は、水と安全は無料で手に入ると思いこんでいる」

日本は世界一の水道技術と、蛇口から出る水を安全に飲める数少ない国ですが、実は、日本中を走る地球18・5周分の水道管（74万キロ）のうち2割が耐用年数オーバ

近年の地震による水道の被害状況

地震名等	発生日	最大震度	地震規模（M）	断水戸数	最大断水日数
阪神・淡路大震災	平成7年1月17日	7	7.3	約130万戸	90日
新潟県中越地震	平成16年10月23日	7	6.8	約13万戸	約1ケ月（連絡復旧等の影響地域を除く）
能登半島地震	平成19年3月25日	6強	6.9	約1.3万戸	13日
新潟県中越沖地震	平成19年7月16日	6強	6.8	約5.9万戸	20日
岩手・宮城内陸地震	平成20年6月14日	6強	7.2	約0.6万戸	18日（全戸避難地区を除く）
岩手県沿岸北部を震源とする地震	平成20年7月24日	6弱	6.8	約0.1万戸	12日
駿河湾を震源とする地震	平成21年8月11日	6弱	6.5	約7.5万戸※	3日
東日本大震災	平成23年3月11日	7	9.0	約257万戸	約5ケ月（津波地区等を除く）
長野県神城断層地震	平成26年11月22日	6弱	6.7	約0.1万戸	24日
熊本地震	平成28年4月14・16日	7	7.3	約44.6万戸	約3ケ月半（家屋損壊地区を除く）
鳥取県中部地震	平成28年10月21日	6弱	6.6	約1.6万戸	4日

出典：厚生労働省「最近の水道行政の動向について」（2019）
注釈：駿河湾で断水戸数が多いのは緊急遮断弁の作動によるものが多数あったことによる

ー、毎年2万件近い事故を起こしており、長さでいうと、上水道で300キロ以上、下水道で100キロ以上を、今すぐ直さなければなりません。

なのに政府と自治体の言い訳はどこも二言目には〈財政難〉、その結果、2019年には水道管の事故が全国で約2万件報告される事態になっているのです。

2021年10月には和歌山

県和歌山市で、水道管が通る橋が崩れる事故が起き、6万世帯が1週間断水してしまいました。

今回の能登半島地震でも、水道はひどいダメージを受け、発生から50日経ってもまだ2万7000戸が断水中、全国の水道局から職員が現地入りしていますが、輪島など4市町が3月末、七尾と珠洲の両市は一部4月以降まで、復旧の見通しがたっていません。輪島市の水道局によると、送水管が破断し、ゴミ処理場も停止、市内の下水道は土砂崩れや地面の隆起で下水管から汚水が逆流するなど、トラブルだらけです。

その惨状を想像するたび、2013年4月に、麻生太郎副総理（当時）が米ワシントンにあるシンクタンクの会合の席でこう言ったことを思い出します。

「日本の水道は全て民営化します」

私たち国民の知らないところで、何を勝手なことを！

でもその後2017年7月に、安倍政権は、水道の運営権を民間企業に売りやすくするよう水道法を改正、2018年12月に公布されてしまいました。

水道の運営を民間に任せるのは、一見効率が良いように見えますが、日本のように、地震や豪雨、台風などがしょっちゅう襲う自然災害大国では、有事の度に、壊れた水道インフラを利益度外視で修理することになるので、公共の方が良いでしょう。

災害時に株主が、「この地域は人口が少ないし、修理しても費用を回収できないからやめておこう」などと言いだしたら困るからです。

海外でも、運営権を買った水道会社が、コストを抑えようと人件費をカットしたり、水質チェックを減らしたり、幹部の給料や株主配当を料金に上乗せしたりと、やりたい放題された住民たちが激怒する事例が少なくなく、水ビジネスの本家本元フランスを含め、再び公営に戻す動きが多発しています。

これについて、水道民営化推進派の声はこうです。

〈民営化反対派は心配しすぎ。今日本の自治体が企業に売っているのは水道料金回収サービスや検針くらいだから、大したことないじゃないか〉

本当にそうでしょうか？

夏に70日間も水道水を止めた犯人は誰ですか？

２０２３年９月。

長野県安曇野市で、水道料金を延滞した高齢の男性が、70日間水を止められてしまった事件が報道されました。

通常日本では、延滞したとしても、払えない理由を役所に伝えたり、遅れた分の料金を収めたりすれば、すぐに水道の栓を開けてもらえます。

ところがこの男性は、滞納していた分を払った後も、いつまで経っても水が出てきませんでした。

市が開栓サービスを任せた民間企業が、水を止めていたからです。

理由は「この人物は、今後も水道代を支払えなさそうだから」。

開栓を指示して、あとは丸投げした安曇野市職員の怠慢が招いたとはいえ、暑さで死人が出るレベルの今の日本で、夏に水を止められたこの事件には、ＳＮＳを中心にショックの声が上がりました。

〈ひどすぎる。家族が見つけなかったら、殺されていただろう〉

〈ちゃんと水道代を払ったのに70日間も止められるなんて、信じられない〉

〈検針、料金回収、開栓の3つを委託しただけでこんなことが起きるなら、水道の運営まで企業にやらせたら、いつ息の根を止められるかわからないじゃないか〉

料金の徴収や検針の民間委託は、すでに全国各地でされていますが、今のように政府が公務員の数を減らし続ければ、水道技術が途切れたところから、施設の運営も企業に売られてゆくでしょう。

どちらにしても、現場の状況が見えなくなるというのは、ろくなことがありません。

イギリスでは、フランスの水ビジネス大手ヴェオリア・ジェネッツ社が、コスト削減のために人手を減らし、水質チェックを甘くし、水に添加する薬剤を安いものに変えたことで、水道水の中の鉛の濃度が一気に上がり、住民たちに健康被害を起こし大問題になりました。

ちなみに今回長野県で水を止めた企業も、何を隠そうヴェオリア・ジェネッツでした。

アメリカで、勝手に水道民営化の約束をしてきた麻生元副総理にとっては、可愛い娘婿の勤務先であるヴェオリア社には信頼も厚いでしょうが、同社はすでに2017年にも、日本支社の職員が住民から集めた水道料金1900万円の着服事件を起こすなど、問題ばかり起こしており、違和感のアラームが鳴りやみません。

いつどこでまた次の地震が来るかわからない日本で、水道管がボロボロの現状の原因として報道されるのは、①人口減少で水道料金が徴収できないことと、②自治体の財政難です。

でも、本当にそうでしょうか？

水ジャーナリストの橋本淳司氏は、日本の給水には大規模集中型と小規模分散型の両方の技術があり、人口が減ってゆくのに合わせ、地域ごとに選択することを推奨しています。

水道料金値上げ率のトップ10

水道料金は使用料が20㎥で計算、１ケ月の料金

	自治体	2015年度水道料金	2040年度水道料金（予想値）	料金上げ幅（倍）
1	福岡県みやこ町	4370円→	2万2239円	5.09
2	北海道広尾町	3600円→	1万6904円	4.70
3	岐阜県揖斐川町	1587円→	6831円	4.30
4	山口県美祢市	2402円→	1万270円	4.28
5	山形県小国町	3326円→	1万4060円	4.23
6	大阪府河南町	2883円→	1万629円	3.69
7	鹿児島県肝付町	1705円→	6260円	3.67
8	宮城県南三陸町	3996円→	1万3944円	3.49
9	長崎県川棚町	3450円→	1万2018円	3.48
10	岩手県軽米町	5010円→	1万7284円	3.45

出典：樫田秀樹「水道法改正の『不都合な真実』。民営化なしでも健全経営は達成できる」（ハーバー・ビジネス・オンライン）。「EY新日本有限責任監査法人」と「水の安全保障戦略機構事務局」による推計より

政府はこの間、山間部など人口が少ない地域にある給水地区を、他の地区と統合したり、地元住民が管理する小さな水道を、コストがかかるからと廃止する方針を進めてきました。

けれど橋本氏が言うように、全ての地域に大規模集中型が適しているとは限りません。市町村によって事情が異なる日本では、地域によっては小さな簡易水道で自分の水源を守れるよう、選択肢を残しておく方が安全でしょう。

そして最大の問題は、国が自治体に入れる補助金（生活基盤施設耐震化等交付金）の額が少なすぎることです。

ただでさえ水道料金が高い日本で、これ以上値上げして住民に負担を強いることはできません。

安倍派議員だけでも5年で5億溜め込んだと言われる裏金を全部出しなさいと言いたいところですが、まずは財務省が念仏のように繰り返す〈財政難〉を立ち止まって考えてみましょう。

災害大国の我が国にとって、水道や電気などのライフラインは国民の命と健康のみならず、安全保障の問題でもあります。

かつて大不況に陥ったアメリカで、フランクリン・ルーズベルト大統領は国債を発行して公共事業を行う〈ニューディール政策〉によって、デフレという難局から国を救いました。

ならば長期の国難に陥っている我が国でも、国債を発行して、それを財源に水道工事をすることを検討してはどうでしょうか。

大火事のどさくさの中、水の権利を奪われたマウイ島の住民たち

もう一つ、有事の際に水の権利が奪われてしまった例をあげましょう。

２０２３年8月に大規模火災が起きたハワイ州のマウイ島を覚えていますか？

被害にあったラハイナ地区では、あの火事が起きる前、20年もの間、先住民たちが、水ビジネスや不動産大手と「水の権利」をめぐって闘っていたのです。

もともと先住民が住んでいたハワイ島にどんどん企業が入ってきてリゾート開発を進め、全米セレブが購入した高級別荘地のために、水源を囲い込み始めたからです。

そのせいで小川が枯れ、先住民たちは農業ができなくなりました。

赤ちゃんをお風呂に入れるにもバケツを使わなければならなくなった彼らは、怒りと共に抗議をし、水へのアクセスを取り戻すための訴訟を開始したのです。

そしてついに、州が重い腰を上げたのでした。

水を使い過ぎた企業と開発業者には罰則を課すという規制ができたことは、先住民たちの勝利でした。

長い闘いの末に勝ち取ったコミュニティの勝利を喜びあった後、まさに水の利用を役所に申請する絶妙なタイミングで起きたのが、あの大火事だったのです。

水ビジネスと開発業者側は、このショックがもたらしたチャンスを見逃しませんでした。州に対して、島の高級リゾートの住人たちを保護するために、できたばかりの水の規制をゆるめて、貯水池にもっと水を入れさせよと要求したのです。

ハワイ州のジョッシュ・グリーン知事はすぐに企業側につき、「水の規制のせいで放水が十分にできず沢山のいのちが奪われた」と発言し炎上、その間に水道局長が、不動産大手や別荘のオーナーであるセレブたちに、川や運河から別荘用貯水池に水を引く許可を出してしまいました。

こうして水へのアクセスという、いのちに関わる住民の権利は、大火災という災害ショック・ドクトリンによって、再び企業側の手に渡ってしまったのです。

ラハイナで妹が被災したという、カリフォルニア州在住の公立教師ルアナ・カラニ氏は、「水は公共のものであり、企業の好きにさせるべきではない」と言いました。

「災害の復興は住民目線でされなければなりません。でないとあっという間に利益ファーストの企業が、欲しいものを奪いにくるからです」

日本では、いつ次の地震が来るかわかりません。

今、能登が直面していることは、全国どこで起こってもおかしくないのです。

水道管の劣化について、政府もマスコミも「財政難」と「人口減」を理由に自治体に責任を押しつけできるだけ民間企業に委託して解決するよう、プッシュしてきましたが、自然災害だらけの日本で、世界一の技術を伝承させず、地方を非常時に弱い民間委託にさせておくのは、自分の首を絞めるようなもの。

米国では病院と並んでサイバー攻撃のリスクを抱える水道施設は、安全保障の重要な対象とされています。

水道は〈安全保障案件〉なのです。日本も国債で、強い水道管に作り変えることを、真剣に検討すべきでしょう。

防衛費のために通信インフラ売ります――NTT民営化

能登半島地震と裏金問題など、日本中が混沌としている中で、もう一つ私たちの大切なインフラが売られようとしていることをご存知でしょうか?

自民党が、防衛費のために、NTT法に手をつけたのです。

NTTは普通の企業ではありません。

日本全国に固定電話サービスを普及させる役目があり、通信技術の研究開発など、日本の通信インフラの7割以上を担う(にな)ため、〈NTT法〉によって株式の3分の1は政府が持つ決まりになっているのです。

ところが、2023年に岸田政権は、今後5年で防衛費を43兆円に増やす財源に、タバコ税や消費税、NTT株売却を充て(あ)ると言い出しました。

ＮＴＴの島田明社長も、この法改正は寝耳に水、驚きを隠せません。

民営化することで経営上も有利になり海外競争力が出る、とのことですが、さすがに能登半島地震のすぐ後で、自民党内からも「外資に株を買われたら安全保障上まずいのでは」と懸念の声が多少上がったようです。

中国人に電気インフラの株式を少しずつ買い増され、気づいた時には北京に電気のコントロールを握られてしまい議会が大騒ぎになったフィリピンを思い出して下さい。

有事にネットや通信を遮断する力を与えることが、安全保障上どれだけのリスクになるか、考えればわかるはずです。

そしてまた、今回の地震で、被災地の断水がいかに深刻だったかを見れば、民営化した後に採算の取れない過疎地が、企業側の経営的判断で、通信サービスからはずされてしまうリスクは、大いにあるでしょう。

けれど自民党がまとめた改正案は、以下のような内容でした。
●役員の変更は、今までは総務大臣の許可が必要だったのが、事後報告でＯＫ。

●通信に関する研究データは開示義務だったのが、開示しなくてもOK。
●外国人役員もトップ以外は全体の3分の1までOK。
この売国的法改正が、2024年3月1日に、大谷翔平の結婚報道の裏で、閣議決定されてしまったのです。

報道されないもう一つの「裏金システム」

「地方自治法改正法案」という重要ニュースを見事かき消した、自民党の裏金問題。最初は安倍派七人の幹部だけが槍玉（やりだま）に挙げられていたのが、芋づる式に出てくる出てくる、告訴された時点では合計4000万円だった裏金は、フタを開けてみると5年間で9億円に膨れ上がっていました。

さらにそれを調査するはずの衆議院政治倫理審査会は、弁明時間が1人1時間で中身は非公開、裏金を裏でうやむやにするかのようなこの対応に、国民からは〈確定申告するのが嫌になった〉〈政治家は脱税、国民は増税か？〉と怒りの声が次々に上が

自民党とカネ問題
裏金議員ランキング

	金額	名前	院	派閥	選挙区	処分
1	5100万円	大野泰正	参	安倍派	岐阜県	在宅起訴
	これまでの主な役職				国土交通大臣政務官	
2	4800万円	池田佳隆	衆	安倍派	愛知３区（比例）	逮捕
	これまでの主な役職				文部科学副大臣兼内閣府副大臣	
3	4355万円	谷川弥一	衆	安倍派	長崎３区	略式起訴→議員辞職
	これまでの主な役職				文部科学副大臣	

↓　4000万円以下未だお咎めなし　↓

	金額	名前	院	派閥	選挙区	これまでの主な役職
4	2728万円	萩生田光一	衆	安倍派	東京24区	自民党政務調査会長
5	2403万円	山谷えり子	参	安倍派	全国比例	国家公安委員会委員長
6	2196万円	堀井　学	衆	安倍派	北海道9区(比例)	内閣府副大臣
7	2057万円	橋本聖子	参	安倍派	全国比例	東京オリ・パラ担当大臣
8	1768万円	二階俊博	衆	二階派	和歌山3区	自民党幹事長
9	1542万円	世耕弘成	参	安倍派	和歌山県	経済産業大臣
10	1512万円	林　幹雄	衆	二階派	千葉10区	国家公安委員会委員長
11	1254万円	福井　照	衆	二階派	比例四国	内閣府特命担当大臣
12	1182万円	長崎幸太郎	知事	二階派	山梨県	自民党幹事長政策補佐
13	1172万円	武田良太	衆	二階派	福岡11区	総務大臣
14	1080万円	平沢勝栄	衆	二階派	東京17区	復興大臣
15	1051万円	松野博一	衆	安倍派	千葉3区	内閣官房長官
16	1019万円	高木　毅	衆	安倍派	福井2区	自民党国会対策委員長
17	1000万円	杉田水脈	衆	安倍派	比例中国	総務大臣政務官
18	876万円	堀井　巌	参	安倍派	奈良県	外務副大臣
19	836万円	関芳　弘	衆	安倍派	兵庫3区	経済産業副大臣
20	819万円	馳　浩	知事	安倍派	石川県	文部科学大臣
21	648万円	加田裕之	参	安倍派	兵庫県	法務大臣政務官
22	580万円	末松信介	参	安倍派	兵庫県	東京オリ・パラ担当大臣
23	378万円	石井正弘	参	安倍派	岡山県	経済産業副大臣
24	368万円	若林健太	衆	安倍派	長野1区	参議院農林水産委員長
25	280万円	江島　潔	参	安倍派	山口県	経済産業副大臣

@WeWantFutureのXより

っています。

ここで、先ほど出てきた、水道の民間委託や、NTTの完全民営化を思い出してみましょう。

裏金が見つかってもどこ吹く風、当の議員たちはみな言い訳したり開き直ったり、「秘書が悪い」「派閥の長が悪い」「見たこともなかった」とすっとぼけ、あるいはこっそり地元で「私は悪くありません」のビラ配り。

この党がなぜ、ライフラインや防衛に関わる大事なインフラを、せっせと民営化しているのか、不思議に思いませんか？

例えば都道府県が、民間企業に水道などの公共事業を委託します。

アメリカで水道の運営権を企業に売却した結果、コスト削減で酷い目にあった都市を取材した身からすると、公共から民間へ委託するときの〈委託費〉がくせもの、一歩間違えると腐敗の温床になるので、しっかり注意を向けなければいけません。

ミシガン州フリントという街では、市からの委託費の大半は法外な株主配当と役員報酬に消え、水質チェックや水道管整備のための資金は、ほぼ残っていませんでした。蛇口をひねって茶色い水が出てきたり、子供たちに健康被害が出るまで、住民たちは自分たちの税金がどう使われているか知らなかったのです。

このことは、日本の私たちにとっても、他人事ではありません。

まずは都道府県から企業に委託費として支払われた公金が、ちゃんと正しく使われているかどうか、チェックしなければ危ないですよね？

ところが実は、行政から委託した企業に関する領収書は、見ることができないのをご存知ですか？

企業の領収書は行政文書ではないので、情報開示を請求しようにも、その対象に入っていないからです。

フリント市と同じように、企業がコストを極限まで減らし、残りで自分たちの私腹を肥やしても、地元の議員にキックバックしても、一度委託された後そのお金がどう使われたかはブラックボックスの中、これは国民が知らない、もう一つの裏金システムと言えるでしょう。

私たち住民の税金が投じられた公共サービスについては、情報公開といつでもチェックできる体制を、絶対に手放してはならないのです。

第2章

「戦争と平和」の違和感
～お金は嘘をつかない

なぜジェノサイドを止めないのですか？

２０２３年10月7日に、ハマス（パレスチナ武装勢力）がイスラエル市民１２００人を殺害し、２４０人を人質としてガザ地区に連れ去ってからというもの、イスラエル軍によるガザへの容赦ない攻撃が止まりません。

人質を全員取り返すまで侵攻をやめないというイスラエル軍ですが、２０２４年２月22日時点でガサ地区で２万９３１３人が死亡（ガザ保健省発表）、広範囲な建物破壊と壊滅的な人道的状況を、国際社会は猛批判しています。

ＥＵ26カ国は１５０万人が住むラファ地区への爆撃を止めるよう声明を出し、南アフリカはイスラエルの行為を「ジェノサイド（集団虐殺）」として国際司法裁判所に提訴、同裁判所は「ジェノサイドを止めるように」とイスラエルに命じました。

「どうしても、わかりません」

京都市内の街頭で、募金や署名集めなどのパレスチナ難民支援活動を続ける、大学

イスラエルとハマスを巡る動き

1987年	武装戦争によるイスラム国家樹立を目的とした組織「ハマス」設立
2005年	イスラエル、ガザ地区から撤退
2006年	パレスチナ立法評議会選挙でハマスが過半数の議席を獲得 ハマス主導の自治政府内閣成立
2007年	2月、ハマスとファタハが挙国一致内閣樹立で合意 6月、ハマスがガザ地区制圧 ハマスを排除した緊急内閣が成立し、事実上、西岸とガザが分裂状態に
2008年	ハマスによるロケット攻撃激化 イスラエル軍によるガザ攻撃開始
2014年	イスラエルとハマスが大規模衝突 2000人以上が死亡
2021年	イスラエルとハマスが衝突　200 人以上が死亡
2023年10月	ハマスがイスラエルを大規模攻撃

出所：https://news.yahoo.co.jp/expert/articles/b59c1fa840f7f-0082083d2aea761cb28a9e70027

生の一人は、声に怒りを滲ませながら、こう言いました。

「子供たちを標的にしたり、逃げられない場所にいる一般の人たちを爆撃するなんて、誰が見ても、人間のすることじゃないでしょう？

私がいちばん違和感を覚えるのは、明らかな虐殺と不当な追放がされてるのに、イスラエルに軍事支援したり、国連の停戦決議に反対や棄権する国々です。

アメリカは堂々と反対でイギリスは棄権？　なぜジェノサイドを止めないのですか？」

たしかに、ドイツはイスラエルに対する軍事支援を今後10倍に増やし、バイデン政権はすでに、2兆円という巨額な支援をしています。

「イスラエルも、じゃぶじゃぶ軍事費使って、自分の首を絞めてますよね」

横にいたもう一人の学生も、こう語気を強めます。

「極右の首相が憎しみに駆られて、国民の税金で無駄な人殺しをして国家を破綻させてる。何もかも破壊して、後には何も残らないのに」

私は、二人の学生の話を聞きながら、かつてニューヨークの米国野村證券で働いていた時、上司に言われた言葉を思い出しました。

〈政府は決して、リターンのない投資はしない。メディアが創る物語が、外からどう見えようと、金は嘘をつかないからだ〉

金融業界にいると、ニュースを一般の感覚とは別の目で見るようになります。

ニューヨークの野村證券では、壁につけられた液晶テレビのモニターが、常に2つの画面を映し出していました。

片方にはＣＮＮやＢＢＣなどの国際ニュースが流れ、もう片方には株価の推移がわかるグラフが表示されます。

人権を守る国際ＮＧＯから金融業界に転職した私は、毎日世界のどこかで起きる悲劇が瞬時にドルやポンドに換算されてゆくのを見ながら、こう思いました。

〈人間のすることじゃないと言われることのほとんどは、人間しかしないのだ〉

「ガザにある宝の山をみんな狙ってる」

金融業界では、ニュースをお金の流れで見ることが珍しくありません。

イスラエルのネタニヤフ首相がハマスに宣戦布告した後、ロンドンに住む金融アナリストの友人は、電話口で開口一番こう言いました。

「テレビでは大学教授が宗教戦争の解説をするんだろうな。でもエネルギーの歴史を見ない限り絶対に理解できないぜ。宗教や民族の対立を乗り越えるのは難しいですね……、で終わりだろう。イギリスもエジプトもアメリカも、ガザにある宝の山を、みんな狙ってる背景が抜け落ちてるんだよ。

あれをイギリスのＢＧ（ブリティッシュ・ガス）が発見した１９９９年に、全てが始まったんだ」


１９９９年にＢＧが発見した宝とは、ガザ沖36キロ、水深６０３メートルのガザマリン油田にある天然ガスでした。

さらに探査を進めたところ、この油田に最大１兆立方フィート（約２００億㎥）以上の天然ガスが眠っていることが突き止められたのです。

パレスチナ自治区にとっては、まさに天から与えられた大きなチャンスでした。

発電所の燃料を石油からガスに切り替えれば、電気の量を増やしてエネルギー自給率を高め、経済的に自立した「パレスチナ国家」を作れるからです。

早速この年の11月、パレスチナ自治政府とパレスチナ系企業（ＣＣＣ）、ＢＧの三者は、ガスの探査と開発の25年契約を結びました。

一方、パレスチナとの間に、宗教と領土という二大紛争要素を抱えるイスラエルにとって、「エネルギーを手に入れたパレスチナ国家」など、容認できるわけがありません。

周囲を対立国に囲まれたイスラエルにとっても、自前のエネルギーは喉（のど）から手が出るほど欲しいもの、まさに国家存続のカギを握る、死活問題だからです。

そこでまずは、パレスチナ人がガス田に近づけないよう、封鎖していたガザ地区沿岸の、立入り禁止区域を拡大。これを皮切りに、ガス田開発を巡る、新たな争いのゴングが鳴ったのでした。

開発を請け負ったＢＧが、ガザにパイプラインを作ろうとしても、「パイプラインはイスラエルの港を通すべき」と、イスラエルが待ったをかけてきて進みません。

２００６年にガザの選挙でハマスが勝利すると、イスラエルが軍事力で海を封鎖して、開発自体を止めてしまいます。

２００８年、この海域でさらに大きなガス田が見つかると、イスラエルはガザに侵攻し3週間爆撃を続け、12月には「ガザ海域の主権」を一方的に宣言したのでした。

ウクライナ紛争で、資源ゲームの参加者が一気に増える

2019年に国連（UNCTAD）が、ガザ沖天然ガスの価値を45億9200万ドル（約6900億円）だと発表してから数年後、ウクライナ紛争による、エネルギー価格高騰によって、この宝の山を巡る資源ゲームは、再び世界の注目を集めることになりました。

2023年6月18日。

アメリカから圧力をかけられたイスラエルは、パレスチナとエジプト、ヨルダンと共にアメリカ主催の会議で、ガス田開発を一時的に承認し、話し合いが始まります。

この協定がまとまれば、ガス田の利益を、パレスチナ自治政府とパレスチナ系企業がそれぞれ3割弱、エジプトのガス大手が4割強、受け取ることになるはずでした。

2016年以降、海上を封鎖された上に一つしかない発電所をイスラエルに爆撃さ

れて電力不足に苦しんでいたパレスチナ自治政府も、ガス田開発の協定が何事もなく進んで２０２３年中に締結されれば、今度こそ自立した国家への道を進めるだろうと、祈るような気持ちでいたことでしょう。

けれどその祈りは、またしても叶いませんでした。

10月７日のハマスの攻撃とイスラエルの宣戦布告によって、再びテーブルがひっくり返されてしまったからです。


戦争は、入り口ではなく出口を見る――独印がイスラエルを支持する裏

ウォール街の人々が、ニュースが流れるとほとんど反射的に為替の動きを見るように、戦争は、どの切り口から捉えるかによって、全く違う構図が見えてきます。

前に西海岸の大学に講演に呼ばれた際、食事を共にした米シティバンク幹部と、戦争についての話になりました。

「なぜ戦争が無くならないか？　学者や新聞記者はあれこれ分析したがるが、目を皿のようにして入り口ばかり見ていても、戦争の裏側などわからないだろう。金の流れと出口を見るんだ、一目瞭然だよ」

たしかに、その2つを見ることで、誰が利益を得たのかがわかり、表には出ないそれぞれの思惑につながります。

宗教や民族、領土といった、感情がからむ要素を一旦除外して、お金という色のつかない切り口だけから全体を捉える。すると、メディアが差し出す一方向からの情報だけを鵜呑みにせずに、自分の頭と目で世界を見る力がついてくるのがわかるでしょう。

ハマスのテロと人質の拉致によってイスラエルのガザ爆撃が始まり、ガス田開発は再び暗礁に乗り上げてしまいました。

ではお金の流れの出口を見るために、まずは紛争が始まる前後の主要国の動き、大きな利益が絡むプロジェクトがないかどうか見てみましょう。

事件前月の9月9日。

インドで開催されたG20のサミットで、アメリカ主導の大きなプロジェクトが立ち上がっていました。

〈インド・中東・欧州経済回廊計画（IMEC）〉です。

中国の一帯一路に対抗して、欧州・中東（イスラエルとサウジアラビアとUAE）・南アジアを結ぶ、鉄道と海運の輸送路で、言うなれば、〈アメリカ版一帯一路〉です。署名したのは、アメリカ、インドとEU、UAEとサウジアラビア、フランス、ドイツ、イタリア。

もしガザ周辺の膨大な石油と天然ガスを押さえたら、イスラエルはこの輸送路を通してエネルギー輸出大国となり、欧州を中心に一気に影響力を手にできるでしょう。

ハマスのテロをきっかけに、爆撃を始めたイスラエルを多くの国が非難する中、いち早くイスラエル支持を表明したインドやドイツに、国内外から「なぜ？」と批判の声が上がったことを覚えていますか？

「ドイツはナチスによるホロコースト史への反省からイスラエル側に」「インドの異

例のイスラエル支持はヒンズー教右派への共感か？」など、さまざまなヘッドラインが流れましたが、それぞれお金の出口を追ってみると、共通点が見えてきます。

中国に代わる世界の投資先を狙うインドにとって、イスラエルとの輸送路は大きな扉を開くでしょう。

また、ウクライナ紛争をきっかけにロシアを制裁した結果、エネルギー価格の高騰で苦しんだEUは、慌ててその穴埋めとして、イスラエル・エジプトから、エネルギーを継続的に輸出してもらう覚書を交わしています。

EU内で最も経済的打撃を受けているドイツにとって、イスラエルがエネルギー輸出大国になることは、自国への安定供給が約束されることになるのでした。

イスラエルによるガザ市民殺戮（さつりく）にアラブ諸国が激怒して、IMECは一旦暗礁に乗り上げたものの、この地を巡る資源争いは今も続いています。攻撃を続けるイスラエルも、国連の停戦決議に反対したアメリカも、諦める気配はありません。

10月8日。ドイツのオラフ・ショルツ首相ははっきりと声明を出しました。

「我々はイスラエル側に立つ。私はベンヤミン・ネタニヤフ首相と電話で会談し、強固な連帯と支援を約束した」

国際社会が「虐殺」と呼び、各地から批判の声が高まっても、大勢のパレスチナ市民とイスラエル市民が犠牲になり続けても、なぜ破壊と殺戮が止められないのか？

争いに歯止めをかけてゆく道は、決して一つではありません。

私たちがお金の流れに注目し、その背景にある利権の存在に目を向け、自国も含め当事者になっているかもしれない事実を知った時、主要メディアで見るものとは別の「欲望の世界地図」が姿を現すでしょう。

それを元に、知恵を集めてゆくことは、不可能ではないはずです。

イスラエルの政治と安全保障に詳しい、東洋英和女学院大学の池田明史（あきふみ）名誉教授は、ハマスによる奇襲攻撃の後ＢＳフジのニュースに出演し、こう言いました。

「これは宗教戦争ではありません。そういう感情もありますが、双方が殴り合いを続けるためにエネルギーが必要だから、宗教や歴史観を根拠にしてきただけです」

エネルギーを使う殴り合いのその先には、巨大なエネルギー金脈があったのです。

なぜガザの建物は全て破壊され、住民は皆追い出されるのか？

ガザ紛争でのイスラエルのやり方に、どうも違和感を覚えるんですが……、と、私のＷＥＢ番組「月刊アンダーワールド」の会員から、こんな問い合わせがありました。

「ハマスのテロへの報復と、人質を取り返すまで爆撃し続けるというイスラエルは、ガザの住宅地を根こそぎ破壊しているし、ハマス撲滅と言いながら一般市民を片っ端から皆殺しにしている。そこまでパレスチナ人が憎いのかと思うと、最近ではガザの住民はまとめて他の国へ行けという。一体全体本当の目的は何なんでしょう？」

金融業界の人間なら、ガザの天然資源と港を１００％自国が抑えるために、パレスチナの住民は邪魔だと言うでしょう。人がいなくなってしまえば、ガス田開発もできなくなり、エネルギーで自立したパレスチナ国家の設立も防げます。

ただし、イスラエル軍が現在、意図的に行っている建物の破壊は、ダムなどを作る際に大規模な範囲で建造物を壊す「ドミサイド」。

たしかに、ここで違和感が出てきます。

なぜガザの住民を追い出すだけじゃなく、わざわざ全ての建物をくまなく壊し更地にする必要があるのでしょう？

今ガザで起きていることを、テクノロジーという出口から見てみましょう。

街と住民を封じ込め、完璧に管理するスマートシティ

「今パレスチナで起きていることが、世界中でも起きているのを知っていますか？」

ガザという一つの街で起きていることを、デジタル時代の目で俯瞰（ふかん）して語るのは、パレスチナ人建築家のヤラ・シャリフ氏です。

「実は、世界のあちこちで、都市の『パレスチナ化』が起こっているのです。

破壊と殺戮、パンデミックや気候変動によって、人々が前のように街に住めなくな

っているでしょう」

世界有数のハイテク技術大国イスラエルは、その最新技術を駆使して、ガザ地区のパレスチナ人たちを監視してきました。

2014年以降、ハマスとの合意でガザ復興計画の中に導入した、〈GRM〉というデジタル管理システムでは、ガザ地区に入ってくる全ての建築資材が、どんな材料で、どこの誰に届けられ、どう使われるかまで、綿密にデジタルデータで記録されます。

こうした資材が、テロ組織であるハマスの手に渡らないように、という理由で、イスラエル政府が、毎日その出入りをくまなくチェックしているのです。

ここまで読んで、なんとなく違和感を覚えた人も、いるのではないでしょうか？

ロンドン在住のグラフィックデザイナー、デイビッド・スナイダー氏は、私がこの話をすると、顔をしかめて言いました。

「テロを防ぐためにセキュリティを徹底しているようで、よく考えたら、イスラエル側にコントロール権がありすぎじゃないか?」

彼の違和感は、鋭いポイントをついています。

デジタル化はその精度が上がるほど、便利さと引きかえにアクセス権を持つ側の支配が強まるという厄介(やっかい)な特徴があるため、注意しなければいけません。

同じくロンドン在住で、封鎖されたガザの建築を研究する、フランシスコ・セブレゴンディ博士は、今のガザを見ると、世界中に急速に普及しつつある、スマートシティのもう一つの顔が見えると言います。

「ガザというレンズを通してみると、『スマートシティ』の、知られていないもう一つの目的が見えるでしょう? スマート化することによって、封じ込めの技術が、強化され、自動化されるのです」

けれどテクノロジーの行き着く先が、必ずしもジョージ・オーウェルの小説『1984』のような、監視社会ディストピアになると考える人ばかりではありません。

ガザのように、ライフラインへのアクセスが限定された住民たちの苦しみを、スマートシティが解決するというのです。

水道は循環型システムに、乏しい電気は太陽光パネルにして、全て中央のサーバーで管理してくれる。

修理してもいつまた爆破されるかわからない家は、簡易組み立て型の移動式シェルターならすぐに替えがきくでしょう。

イスラエル政府によって外出が制限されていても、VRのヘッドセットがあれば大丈夫。買い物アプリやバーチャル画面のアバターを使えば、狭い場所でも快適に、支配されていても人間らしく暮らせる、進化したスマートシティ。

「ただしスマートシティには利便性や効率性、価格の安さや環境負荷の低さなどはありますが、政治的な問題を解決するツールではありません。

誰がアクセス権を握るのか、透明性や自主性はどの程度保障されるのか？

それは技術とは別の話、政治家が考えることですから……」

技術者や研究者たちが言うように、ドローンや通信傍受でイスラエル政府に監視されていても、デジタル技術の高度化によって、ガザの住民たちは見られていることをより感じにくくなり、不快さは緩和されるかもしれません。でも本当にそうでしょうか？

ガザスマートシティ化のPR画像

急いで結論を出す前に、アナログな視点からも、こう問いかけてみましょう。

〈はたしてそれは本当に、この地で長年続いてきた悲劇に対する、テクノロジーの勝利でしょうか？〉

２０３０年の完成を目指す〈Ｇａｚａ２０３０〉と名付けられたこのプロジェクトに、多くの建築家やテック関係者、環境活動家や投資家たちが注目しています。

今の計画通りに進めば、ガザは世界トップのハイテク技術を駆使した、スマートシティの実証実験場になるでしょう。〈デジタル植民地〉への問いが、答えられないままに。

〈露のウクライナ侵攻の勝者は、イスラエルの武器産業だ〉

ハマスのイスラエルへの奇襲攻撃をきっかけに、大規模な破壊と殺戮が始まったガザのニュースにかき消されて、表舞台から消えてしまったウクライナ。

これをガザのケースと同じように、お金という観点で見てみるとどうでしょう？

2022年2月にロシアの軍事侵攻で始まったウクライナ紛争。

ここでも即座に戦争の旗を振ったアメリカの辞書に〈停戦〉の文字はありません。

すぐに自国議会で136億ドル（1兆6000億円）のウクライナ支援予算を通過させると、日本にもEUにもじゃんじゃんお金を出すようハッパをかけてきます。

ドイツのキール世界経済研究所の試算によると、2022年1月から2023年1月までに各国がウクライナに出した支援金は、アメリカがぶっちぎり1位の731億ユーロ（10兆円）。

米国国務省の公開データによれば、弾薬3億発に砲弾数百万発、榴弾砲198門に、歩兵戦闘車両ブラッドレーと装甲車両がそれぞれ数百台。

エイブラムス戦車31台、対戦車砲に防空システム、最新型地対空ミサイルシステム、沿岸警備船舶、医療備品、暗視装置、防寒具、スペア部品まで……。

620億ドル（9兆2370億円）の武器が米国民の税金で発注された数ヶ月後には、偶然にもウクライナの首都キーウで〈武器の国際見本市〉が控えているという、軍需産業にとっては、まさに笑いがとまらないタイミングでした。

ウクライナの戦場で使われた武器なら、性能の説明も省けることでしょう。

ロッキード・マーチンはじめ武器メーカー大手で、さながら大入り袋が飛び交う中、初めは躊躇していたドイツやスウェーデンも、わざわざ法律を変えてまで武器を提供。ロシア側だったはずのトルコまで、自国防衛産業にテコ入れできる誘惑に勝てなかったのでしょう、世界市場の1％を占めるハイテクドローンをウクライナに送ることを決定したのです。

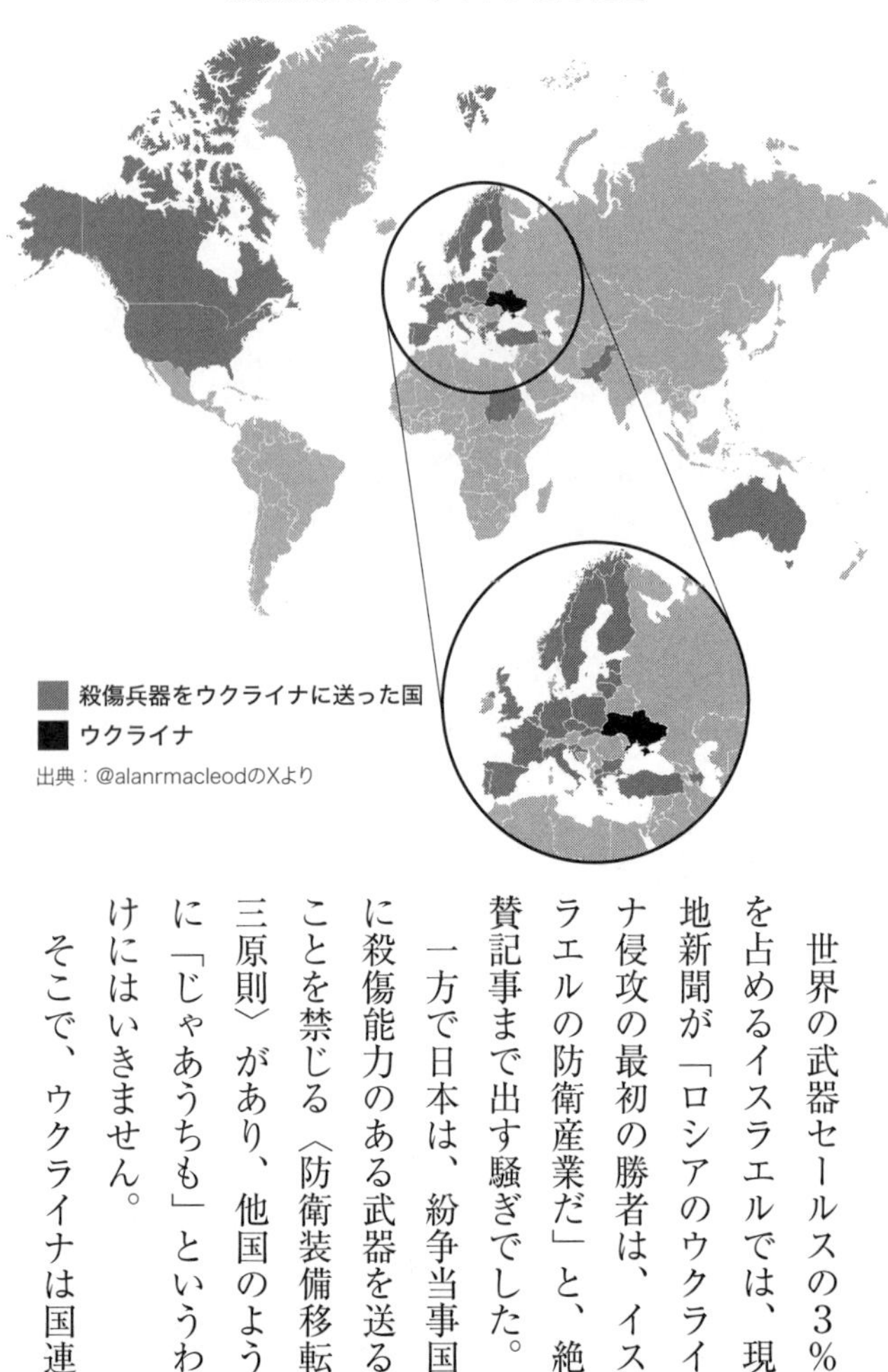

世界の武器セールスの3％を占めるイスラエルでは、現地新聞が「ロシアのウクライナ侵攻の最初の勝者は、イスラエルの防衛産業だ」と、絶賛記事まで出す騒ぎでした。

一方で日本は、紛争当事国に殺傷能力のある武器を送ることを禁じる〈防衛装備移転三原則〉があり、他国のように「じゃあうちも」というわけにはいきません。

そこで、ウクライナは国連

安保理の措置を受けている紛争当事国には当たらないからと三原則の指針を改定し、防弾チョッキとヘルメットをウクライナに送ったのでした。

〈日本から武器を輸出するのか？〉

政府の動きに違和感を覚えた国民の声が、ネット上にたくさん溢れ、朝日、毎日、東京新聞などが憲法違反やうやむやのままに拡大するリスクを社説で指摘し、一部野党からは批判が出ました。そんな中、ラーム・エマニュエル駐日米国大使は、日本の支援を、こう賞賛したのです。

「今日（こんにち）、我々の同盟は歴史の新たな章を刻みます。我々がウクライナの友人を助けるため、力を合わせるのが、この特別な章の新たな始まりです」

駐日大使の言うこの〈特別な章〉という言い回しに、何やら不穏な違和感を覚えるのですが……？　と、X（旧Twitter）に投稿した人がいました。

いいえ、その違和感は間違っていません。

これがまだ序章に過ぎなかったことが、間もなく明らかになりました。

米「ウクライナに送りすぎて武器がない」、日本「ではうちで造ります」

アメリカでは、調子に乗って軍事予算の大盤振るまいを続ける一方で、実態経済がどんどん悪化し、野党共和党から〈ウクライナに金を出すのはいい加減やめろ〉と、大ブーイングが起こり始めます。

肝心の武器も、だんだん在庫がなくなって生産が間に合わなくなってきました。

アメリカが困った時に白羽の矢が立つのが、ここ日本。

アメリカ（イギリス、イタリアも）がライセンスを持つ武器を、日本で造るのです。

そこで２０２３年12月に防衛装備移転三原則運用のガイドラインの見直しを、自民党・公明党合計12人の実務者協議で決定。

国会審議を経ることなく少数の与党議員だけで、あっという間に方針が決まりました。

今後は、アメリカがライセンスを持つ地上配備型の迎撃ミサイル（ＰＡＣ３）を日本で製造してアメリカに輸出もできますし、日本製武器としてアメリカ経由でウクライナにも送られてゆくでしょう。

ただし、現行のルールでは、共同開発した国への輸出と、その国の事前同意があれば第三国への輸出もできますが、日本から武器を直接輸出することはできません。

そこで、この際この部分のルールも一緒に見直すことになりました。

通常、安全保障のルール変更は、マスコミや世論から、かなりの反発が予想されますが、政府は念には念を入れ、防衛装備移転三原則についての議事録は全て非公開にしておきました。会議中に誰がどんな発言をしたのかも全て伏せたので、私たち国民が調べようとしても、一切内容がわかりません。

でも実際は、そこまで心配する必要はなかったでしょう。

この時期、地上波もワイドショーもスポーツ紙も、揃って安倍派議員の裏金問題とダウンタウン松本人志のスキャンダルを流しており、ＳＮＳもユーチューブもこの２つの話題でいっぱい。

2023年末から2024年にかけて、こんな大事な話し合いがされていることに、気づいている国民は、ほとんどいなかったからです。

「東南アジアに武器を輸出して、日本の防衛産業を活性化すれば、アジアの安全保障も高められて一石二鳥だ」と、推進派はメリットだけを主張します。

でも、本当にそうでしょうか?

ウクライナは民主主義国の中でも政府腐敗度がトップクラス、世界でも有数の、武器闇市を持つ国です。

2023年12月に、アメリカ議会で心ある上院議員5人が、「イスラエル軍が使う米国製の武器で、民間人が犠牲になっている」と、訴えたことをご存知ですか?

イスラエル南部やガザで、ハマスが民間人殺戮に使っている米国製の武器が、多数撮影されていることを報告した下院議員が、ウクライナ経由の闇ルートを、緊急調査するよう、政府に要求しているのです。

2023年11月に、日本を含めた世界中のマスコミが、ウクライナからの武器横流し問題を取り上げていたことを考えれば、日本で造った武器を第三国に直接輸出するかどうか以前に、ウクライナに送られたメイドインジャパンの武器が転売された時に、日本の安全保障に出る影響の方を、私たちは心配すべきでしょう。

人道支援だけしていたはずが、転売ヤーのせいでいつの間にか敵国認定されてしまっても、アメリカは責任をとってくれません。

イスラエルへの最大武器輸出国アメリカで、真っ当な声をあげる連邦議会議員たちの声が、大統領にことごとく無視される今の状態を見て、日本の私たちは、明日は我が身と警戒すべきなのです。

ソーセージと法律は、作っているところを見せてはいけない

私がアメリカに住んでいた時、事務所を訪ねたある共和党議員が、ホワイトハウスで大統領や側近たちが肝に銘じているという、こんなルールを教えてくれました。

「ソーセージと法律は、作っているところを見せてはいけない」

1913年12月。

アメリカの中央銀行である連邦準備制度が作られたのは、上院議員たちが皆里帰りしているクリスマスイブ前夜でした。

遺伝子組み換え種子メーカーのモンサント社に、作付けした畑に被害があっても企業責任が免責される〈モンサント法〉が通過したのは、アメリカ中のメディアが横並びに、同性婚の是非についての最高裁の判決を取り上げていたタイミング。

私は日本に帰国してから全国でいろいろなテーマの講演をしていますが、特に学校で子供たちに話す時には、意識してこう話しています。

災害や芸能ニュース、政治家のスキャンダルなどでニュースが一色になった時は、あれ？　と違和感を持って下さい。

そしてすかさず衆議院と参議院のホームページを見てください。

かなりの確率で、怪しげな閣議決定がされていたり、政府が私たち国民に作っているところを見られたくないような、問題法案が国会で通過しているからです。

よからぬ政策を進めるためにスキャンダルを出させるのか？

誰かのスキャンダルやショックなニュースが出そうなタイミングに乗っかって、国民に反対されそうな政策を実行するのか？

ニワトリが先か卵が先かのような話ですが、どちらにしても迷惑を被る（こうむ）のは私たち国民ですから、違和感のアンテナをしっかり立てて日頃から意識しておきましょう。

例えば、オーソドックスな例に、芸能人のスキャンダルがあります。

２０２３年６月16日。

人気俳優の永山絢斗（けんと）容疑者が、大麻（たいま）を所持した疑いで警視庁に逮捕されました。

この時彼はＮＨＫの大河ドラマ『光る君へ』に出演予定でしたから、ワイドショーとネットはたちまち大騒ぎです。

同じ時期に加熱していた、国民的女優広末涼子の不倫報道に永山容疑者の麻薬スキャンダルが加わり、テレビもネットもスポーツ紙も、皆この話題を繰り返し取り上げ、国民の関心をガッツリ掴んでいたのです。

国債使わず増税で防衛費を増やせ（by財務省）

しかし永山容疑者の逮捕と同じ日に、あるトンデモ法案が参議院で可決していたことを、知っている人はどれほどいるでしょう？

その名も、〈防衛財源確保法〉。

一言で言うと、防衛費の財源をあの手この手を使って、方々から引っ張ってくるというものです。

あれ？

「え？　債務償還費（満期になった国債の元金返金のためにとってある経費です）15兆円を使えば、防衛費は余裕で足りるはずですが……？」

早速違和感を抱いた野党議員から、鋭い指摘が出ました。

もちろん実際はそうなのですが、できるだけ国債を使わず増税したい〈財務省〉がまたしても反対し、政府は結局、私たち国民や日本の資産を売り払ったお金を充てるという案を、素知らぬ顔で出してきたのです。

法人税、所得税、たばこ税を引き上げ、さらには消費税を上げればいい、と。

この法案で防衛費に回される、３つの財源を見てみましょう。

①歳出改革

↓いろいろなところをカットして浮かせたお金を防衛費へ。例：児童手当など。

②決算剰余金

↓予算の余りを防衛費へ。例えば、コロナ禍(か)の雇用対策のために確保した予算のうち余った分から防衛費に回す。

③国有財産の売却

↓ＮＴＴ株や東京メトロなど、政府が保有する日本国内の資産をどんどん民間に売って、そのお金を防衛費に回す。

これで足りなければさらに、法人税、所得税、たばこ税、復興税の余りを回す、そして最後は再び消費税アップ……と広げ、とにかく引き上げたばかりの向こう5年分の防衛費43兆円分を、増税でまかなう計画です。

人気俳優二人の不倫と大麻のダブルスキャンダルに気を取られているうちに、いつの間にか通過したこの法案、野党もびっくり仰天し、共産党の宮本徹議員は国会で政府をこう追及しました。

「予算を見て驚きました。コロナの雇用調整助成金1964億円を、一般会計に戻して、一体何に使うんです？

えっなに？　防衛費？

つまり、被災地のためじゃなくて、防衛予算を倍増するために使うってこと？？

……心を寄せるところが違うんじゃないですか？」

我が政府が心を寄せた先には、アメリカやイギリスなど世界の軍需産業大手が、両手を広げて歓迎の意を表していました。

〈北朝鮮のミサイル問題に中国の脅威、台湾有事などの火種を抱えるアジアで、地理的に最も重要な位置にいる日本が、ようやく防衛費を大幅に増やす姿勢を見せた〉業界は〈次のドル箱〉だとばかりにすぐに反応し、米ロッキード・マーチン社をはじめ、英ＢＡＥシステムズ社、仏タレス社など、欧米武器大手が、続々と日本支社を立ち上げて拠点を移し始めます。

そもそも増税してまでアメリカから割高の中古武器を買うことが、はたして本当に日本の防衛力強化につながるでしょうか？

外務省が中国にサイバー攻撃されても、通信を売りますか？

第１章でも触れましたが、防衛費のために政府が株を売り払おうとしているＮＴＴは、単なる通信インフラではありません。

約１１０万キロに及ぶ長さの光ファイバーをはじめ、世界で今後ますます利用価値の上がる光回線技術と設備、世界市場３位のシェアを誇るデータセンターには１・

5兆円。今後需要が拡大するＡＩやロボットに3兆円、太陽光や風力発電、陸上養殖、宇宙開発、データ事業の分野など、今後5年で8兆円の投資がされます。まさにこれから世界で大きく羽ばたくコングロマリットであり、日本の大切な資産であることを思い出してください。

同じように郵政民営化した結果、郵便局は過疎地から次々に撤退、サービスは著しく劣化して、２０２３年12月には郵便料金3割値上げのニュースが出たばかりです。

通信インフラの7割以上を持つＮＴＴに、外資系企業は目の色を変えて飛びつくでしょう。

私が以前取材したフィリピンでは、唯一の電装会社の株式の40％を中国企業に買われてしまい、電気という主要インフラを北京に握られたことに気づいた議員たちが真っ青になりました。このように、実質一社独占のＮＴＴの株式や役員に外国の手が入り込んでしまえば、様々な形で日本を支配できてしまうからです。

２０２４年2月5日。

外交上の機密を含む公電をやりとりする外務省のシステムが、２０２０年に中国のサーバー攻撃を受け、大規模な情報漏洩（ろうえい）が起きていたことが、明らかになりました。以前より米政府から警告と対応依頼があったにもかかわらず、政府もデジタル庁もいまだに対策ができていません。

セキュリティがまだこの状態の中で通信インフラを売ることで、データが筒抜けになることや、日本法人を迂回（うかい）して外国に株式を買い占められることのリスクが、安全保障の議論のテーブルに上がらないのはなぜでしょう？

いつの間にか日本がウクライナの連帯保証人になっていた⁉

日本で親から子へ伝える警告の一つが、「絶対に連帯保証人になってはいけない」です。

けれど、まさか私たちの日本政府が、いつの間にか他国の連帯保証人になっていたなど、一体誰が想像できるでしょう？

2023年4月7日。

ウクライナが、国際復興開発銀行から借りた復興資金を返せなかった時、日本が拠出国債という特殊な国債を発行し、連帯保証人国の一つとして利子も含めて肩代わりする法律が、参議院本会議で成立していたことをご存知ですか？

併せて、ウクライナのインフラを受注する外資への融資を保証する「国際協力銀行（JBIC）法改正案」も成立しました。

ウクライナが財政破綻しても日本が最大6850億円を保証してくれる上に、復興プロジェクトに参加したい日本のスタートアップ企業にまで政府が資金を出してくれ、リスクは日本国民の税金で保証されるのですから、参加しない手はありません。

2024年2月19日に東京で開催された「日・ウクライナ経済復興推進会議」に参加したのは、日本から80社、ウクライナから50社程度。

なにせ今回の復興ビジネスは、桁が違うのです。

日本が表明した支援額は、手始めに1・1兆円、エネルギーなどのインフラに、住宅、経済や地雷撤去などを含めると、今後10年で拡大する見込み予算は58兆円。

セルギー・コルスンスキー駐日ウクライナ大使は、かつて関東大震災の復興に尽力した後藤新平の存在や、自然災害大国の日本が持つ知見や技術力に期待しています。

優秀で勤勉な日本の企業が貢献できることは、きっとたくさんあるでしょう。

私たち国民の税金が湯水のように使われ、連帯保証人としてこの巨大なリスクを請け負うことを除いては。

会議開催のニュースをテレビで見た時、都内に住む歯科医師の一人は、何となくモヤモヤとした違和感を抱いたことを、こう語ります。

「だって、ウクライナは今もうボロボロで、復興資金を返せるあてなんかないでしょう？

そこに利子つけて貸す国際銀行って、戦争で壊滅した後のイラクと同じパターンじゃないですか？　しかも今こっちは確定申告の準備をしながら、裏金議員たちの顔が浮かんできて腹が立って仕方ない。

ウクライナの市民を助けるのは賛成だけど、正直言って、中抜き名人のあの有名企業や、領収書のない札束が飛び交う光景しか、浮かんでこないですね」

この先生の違和感は、正しいでしょう。

この間、日本国内で繰り広げられていた、裏金および中抜き祭りの存在を、私たちは決して忘れてはいけません。

ＮＴＴや水道の運営権売却と同じように、私たちの税金から企業に渡った公金が、どう使われているかはブラックボックスだからです。

この時、私たちの会話を聞いていた歯科助手の女性が、こんな疑問を口にしました。

「あのう……この間日本は、ウクライナにかなり気前よく支援金を出してますよね。私も気づいた時には少額ですが募金をしてるんです。でもああいうお金って、一体ウクライナではどこに行くんでしょう？」

はい、これもまた、今の日本にとって、とても大事な違和感です。

私たちの善意のお金が、ウクライナ政府を経由して向かう場所について、ほとんど

日・ウクライナ経済復興推進会議の主な合意案件

1	地雷対策・がれき処理	無償資金協力158億円、インフラ復旧・復興
2	人道状況改善・生活再建	医療関連企業による支援
3	農業の発展	衛星データによる営農支援
4	バイオ・産業高度化	天然界面活性剤の製造実証
5	デジタル・ICT	無線ネットワーク、サイバー
6	電力・インフラ	風力事業、熱電併給
7	汚職対策・ガバナンス	日本貿易振興機構（ジェトロ）などとの情報共有

共同通信2024年2月12日付

ウクライナ復興、見込まれる復興支援

日本政府が
表明した支援

76億ドル
(1.1兆円)

世銀の融資を事実上保証するなど 55 億ドルの措置を含む

貢献意欲のある方々が、戦争のリスクを感じることなく復興事業に参加できるように知恵を絞る

(5月15日ウクライナ
経済復興推進準備会議)
岸田首相

今後10年間で
必要となる復旧・復興費

4110億ドル
(58兆円)

世界銀行、
国連などが３月に試算

ウクライナ政府が
掲げる５つの優先事項

- エネルギーインフラ
- 住宅
- 重要インフラ
- 経済
- 人道的地雷除去

出典：朝日新聞 2023年6月20日付（一部改変）　写真提供：時事

の日本国民は知らされていません。

２０２２年のロシア侵攻の前から、ウクライナは世界銀行やＩＭＦ（国際通貨基金）、欧米の銀行やヘッジファンドなどから多額の融資を受けている借金大国でした。

その額にして６・７兆円。２０２０年にはＧＤＰの65・４％が借金という、凄まじい状態に陥っているので、例えば日本のような国から支援金が届いても、まずは借金の返済に回さなければいけません。

さらに悪いことに、２０１４年にマイダン革命というクーデターが起きて国がボロボロになった時、ウクライナ政府は、消費者金融もびっくりの悪条件で有名な、ＩＭＦから、借金をしてしまったのです。

利子25％というだけで、どれほどブラックな契約か、想像がつくでしょう。

国有資産は全て民営化、国民の救済や国家の立て直しより、強制的に借金返済ファーストという地獄。

国際紛争をお金の入口から見る国民が増えることは、苦しんでいるウクライナ市民を助けたいという純粋な気持ちや、私たちの税金の使い方を行使すべき代理人である政府のやりたい放題にメスを入れる、大きな第一歩になるのです。

ゆうちょ、年金、次は新NISAで預貯金いただきます

日・ウクライナ経済復興推進会議で、〈金融力〉という言葉を使った岸田総理は、2023年4月の経済財政諮問会議で、こんな発言をしていました。

〈家計金融資産2100兆円を解放し、成長し続ける「資産運用立国」を実現します〉

2100兆円のうち約半分の1100兆円は、私たち国民の預貯金です。

この話をした時、前述したロンドンの金融アナリストが、ヒューーッと口笛を吹いたことが忘れられません。

「ゆうちょ、年金ときて、次は1100兆円という巨大な預貯金が市場に流れてくるわけか。1%でも11兆円、外国人投資家連中は、聞いただけで目がギラギラ輝くな」

2024年1月。日本政府や年金機構に投資の助言をしている、米投資銀行ゴール

ドマン・サックスが主催したアジア最大の金融イベント「グローバル・マクロ・カンファレンス」で、岸田総理が投資家向けに出したメッセージにも、大きな期待が寄せられていました。

日本を〈資産運用立国〉にするために、家計金融資産の運用業と、アセットマネージャー（本人の代わりに資産運用をする人）の規制改革を進めるというのです。

政府はそのために、国民が預貯金で資産運用しやすくなるよう、新ＮＩＳＡ制度を２０２４年１月から開始。株で得た利益にかかる約２割の税金を一定範囲で非課税にするＮＩＳＡ制度をさらに優遇し、大々的キャンペーンを展開したのです。

その一方で、東京、大阪、福岡、札幌の４都市を「金融・資産運用特区」にし、海外からアセットマネージャーや金融のプロをどんどん呼び込み、彼らの家族の住居や子供の学校を準備し、短期滞在ですぐ永住権が取れるよう、法律をゆるめるというおもてなしぶりでした。

経済アナリスト故山崎元氏は、岸田総理が２０２３年９月に、米国で投資家たちにこの特区構想をアピールした時点で抱いた違和感を、自身のコラムでこう指摘していました。

〈なぜ海外の運用会社を、優遇措置を与えてまで誘致したいのかだ。日本株に対する運用ビジネスの動きを活発化させたいなら、まず日本の運用会社がビジネスをしやすい環境をつくることが先決ではないか〉（2023年9月27日『週刊ダイヤモンド』）

わざわざ外資を儲けさせる環境を作り、国民の預貯金を投資させるのは誰のためでしょう？

宣伝はパソナにお任せください

岸田総理の〈聞く力〉は、もっぱら財界に向けて固定されているようです。金融庁が旗を振り、一般国民に新ＮＩＳＡを知ってもらい、預貯金をどしどし投資してもらえるよう、手始めに吉本興業とコラボした新ＮＩＳＡ大キャンペーンを開始。タンス預金が趣味のおじいちゃんおばあちゃんにも、現金を投資に回すやり方を、芸人さんが笑いを交えてわかりやすく伝えてくれます。

また、銀行や金融機関には、お客様に新NISAの良さをどんどん宣伝してもらわねばなりません。

人手不足でなかなか手が回らない？　心配ご無用！　こういう時に頼りになるのが、マイナカード事業やオリンピックのボランティア派遣、ワクチンコールセンターなど、政府プロジェクトの下請として大活躍中のパソナグループです。

オリンピック事業では、9割というダイナミックな中抜き率で、公金から巨額の利益をあげたことがばれて叩かれていましたが、2013年からは、企業向け〈NISAサポートデスク〉を開始、専従スタッフの派遣に加え、テレマーケティングによる顧客獲得や社員向け教育研修まで、パッケージで提供してくれます。

その結果、開始から1ヶ月で、新NISA口座は全国で2136万口座と、20％増加、買われた株は1位が米国株、2位が世界株（6割は米国株）の投資信託、日本株は3位という、アメリカ万歳の結果でした。

優れたアセットマネージャーの人材を自国内で育てるのでなく、なぜかおもてなしを尽くして外国からじゃんじゃん呼び込むほど、国民の預貯金で外国株を買い支え、外国人の運用業者に手数料が入る〈外資ファースト〉の構図が拡大してゆくでしょう。

２０２４年2月22日。日経平均株価は１９８９年以来の最高値３９０９８円を記録、金融庁を筆頭に、日本全国の金融機関や銀行、マスコミは「今こそ新ＮＩＳＡの買い時だ！」と煽（あお）り煽りのオンパレード、新ＮＩＳＡ説明会には１万７８００人もの人が参加し大盛況、証券会社のコールセンターに買い注文が殺到しているところを見ると、買っているのは、ネットより電話を使う高齢者が中心なのでしょう。

コールセンターに電話したら、こう言われたという人もいます。

〈60代でも70代でも、今から世界に追いつくために、投資を学べるチャンスです〉

でも、本当にそうでしょうか？

新ＮＩＳＡは、株価が上がっている時は税金もかからず良いのですが、あくまでも利益が出ている時に優遇される制度なので、損した時の対処法はありません。

「資産運用立国」とはすなわち、将来年金が不足しても、老後資金は政府の責任でなく国民の自己責任。

マイナ保険証の利用率が低い高齢者のマイナンバーも、新NISAでしっかり銀行口座と紐づけられます。

年金で足りない分の老後資金を増やしましょう！　とメリットばかり並べられても慎重になったほうが良いでしょう。長期で塩漬けにしておくつもりなら別ですが、日経平均株価だって、持ち直すまで30年以上かかったことを考えると、政府のメインターゲットである高齢の方々は、実は悠長にしていられないのです。

泥舟から逃げ出す投資の神々

もちろん株はいつか下がるもの、でも今のバブルに乗っかるチャンスを、逃さないほうが良いですよ！　と銀行で言われたのですが、とこの間多くの問い合わせを頂きましたが、問題は、その「いつか」です。

本家本元のアメリカを見てみましょう。

2023年の国内企業倒産件数は、金融危機の余波を受けた2010年に次ぐ高水準、大手銀行も次々に消えています。

「投資の神様」の別名を持つウォーレン・バフェットや、投機によってアジア危機の原因を作ったと言われるジョージ・ソロス、メタ（旧フェイスブック）創業者のマーク・ザッカーバーグに、アマゾンのジェフ・ベソス、マイクロソフトのビル・ゲイツなど、まるで泥舟からいち早く逃げ出すかのように、今、みなさん揃って何十兆円相当もの株を大量に手放しています。

特に、18年間一度も自社株を売らなかったJPモルガンのCEOジェイミー・ダイモン氏までが、ついに1億5000万ドルの株式を手放した時には業界に激震が走り、不穏な噂は止まる気配がありません。

この実態と対照的に、マイナカードポイントキャンペーンの時と同じく、メリットばかりを強調し、「さあさあみなさん、今すぐ新NISAを買いましょう！」と、四方八方から国民が煽られる日本。

そもそもマイナ保険証やワクチンで、メリットばかり連呼した挙句に、都合が悪くなると相手をブロックし「そんなこと言ってません」とすっとぼける大臣や、中抜き祭りの公金プロジェクト、絶対捕まらない裏金七人衆、虚偽の収支報告書に批判が飛ぶ中、「納税は本人の自由です」などといってのける財務大臣、そして、相手によって耳が閉じたり開いたりする総理の〈聞く力〉。

昨今の体たらくを見ていると、政府がゴリ押ししてくるものには、反射的にざわっとするのです、という人は、少なくありません。

心の中にそうした違和感が浮かんできたら決して無視せずに、どんなにメリットを並べられても、心の中でそっと、自分に問いかけてみてください。

〈でも、本当にそうだろうか？〉

第3章

〈いのちは大切〉の違和感

～虫の声が聞こえますか？

「この政府、日本の農業をつぶす気だ」

2024年2月。

「この政府、日本の農業をつぶす気だ」

SNSにこんな投稿がされたのは、今国会に出される予定の「食」に関する2つの法案が公表された日のことでした。

一つ目は「農業基本法改正」。

これは言うなれば日本にとって、〈農業の憲法〉のような存在です。

半世紀以上前に効率化と大量生産を目指して作られたのですが、最後に改正されたのは1999年。食料自給力もあげないといけないし、四半世紀ぶりに見直すかということで、去年から有識者を集めて対策会議をしていたのでした。

ところが……。

内容を読んでみると、もう、違和感が満載です。

〈農業基本法〉＝1961年にできた日本の農業政策の柱。99年に「食料・農業・農村基本法」に名称変更

例えば、第一章の「食料の安定供給の確保」が、改正後は「食料安全保障の抜本的な強化」に書き変えられていました。

具体的に何をするかというと、まず、日本からの輸出を増やすために、農業を成長産業にする〈スマート化〉。

骨子となった、２０２３年に経団連がまとめた提案内容を見てみましょう。デジタル化して効率を上げる他、〈ゲノム編集魚の陸上養殖事業〉などが盛り込まれています。

ゲノム編集魚ビジネスで、世界に勝負をかけたい経団連

近年、政府が大いに注目し、支援している陸上養殖の企業が、世界で唯一、2品種5系統でのゲノム編集魚の承認を得ているリージョナル・フィッシュ社です。

同社は、２倍速で成長するトラフグや、筋肉質のマダイなど、ゲノム編

食料・農業・農村基本法の改正の方向性について

○食料・農業・農村基本法について、
「食料安全保障の抜本的な強化」、「環境と調和のとれた産業への転換」、人口減少下における生産水準の維持・発展と地域コミュニティの維持」の観点から改正を行い、令和6年の通常国会への提出を目指す。

環境と調和のとれた産業への転換

○環境と調和のとれた食料システムの確立を柱として位置付け
・食料供給が環境に負荷を与えている側面にも着目し、多面的機能に加え、環境と調和のとれた食料システムの確立を位置付け
・その上で、環境等の持続性に配慮した取組の促進などについて明確化　等

人口減少化における生産水準の維持・発展と地域コミュニティの維持

①生産基盤の確保に向けた担い手の育成・確保とそれ以外の多様な農業人材の役割の明確化
・担い手の育成・確保を引き続き図りつつ、農地の確保に向けて、担い手とともに地域の農業生産活動を行う、担い手以外の多様な農業人材も位置付け

②農業法人の経営基盤の強化を新たに位置付け
・農業者が急速に減少する中で、食料供給に重要な役割を果たす
農業法人の経営基盤の強化も位置付け

③将来の農業生産の目指す方向性の明確化
・食料の安定供給を図るためにも、
スマート農業の促進や新品種の開発などによる「生産性の向上」、
知的財産の確保・活用などによる「付加価値の向上」、
「環境負荷低減」といった将来の農業生産が目指す方向性を位置付け
・特に、より少ない農業者で食料供給を確保しなければならなくなる中で、サービス事業体の育成・確保を位置付け

④近年増大する食料・農業のリスクへの対応の明確化
・防災・減災や既存施設の老朽化への対応も視野に、農業水利施設等の基盤の整備に加え、保全等も位置付け
・家畜伝染病・病害虫の発生予防・まん延防止の対応についても位置付け

⑤農村振興の政策の方向性の明確化
・農村との関わりを持つ者（農村関係人口）の増加や農村RMOの活動促進、多面的機能支払による「地域社会の維持」を位置付け
・農泊の推進や6次産業化など地域資源を活用した産業の振興を位置付け
・鳥獣害対策や農福連携などについて明確化　等

食料安全保障の抜本的な強化

①食料安全保障を柱として位置付け

・国全体としての食料の確保（食料の安全供給）に加えて、
国民一人一人が食料を入手できるようにすることを含むものへと再整理

②食料安定供給の基本的考え方を堅持し、輸入の安定確保に関する新たな位置付け

・**食料安全保障の確保については、過度な輸入依存の低減**の観点から、
輸入・備蓄とともに行う国内の農業生産の増大が基本
・食料安定供給に当たっての**生産基盤の重要性の視点を追加**するとともに、
輸入相手国の多角化や輸入相手国への投資の促進など、
輸入の安定確保について新たに位置付け

③農産物の輸出に関する政策的意義について位置付け

・**農産物の輸出**について、**国内生産基盤の維持の観点を追加**するとともに、
増大する海外需要に対応し、農業者や食品事業者の収益性の向上に資する輸出の促進が重要である旨を位置付け

④生産から消費までの関係者の連携促進（「食料システム」という新たな概念の位置付け）

・**食料供給の持続性**を高めるため、
生産・加工・流通・小売から消費者を含む概念として食料システムを新たに位置付け（同時に、**関係団体の役割や食品事業者のより主体的な役割**の明確化等）

⑤適正な価格形成の促進と消費者の役割の明確化

・**食料の価格形成**において、
農業者、食品事業者等の**関係者の相互理解と連携**の下に、
農業生産等の合理的な費用や環境負荷低減のコストなど、
食料の持続的な供給に要する合理的な費用が考慮された適正な価格形成を促す点を、消費者の役割も含め明確化

⑥円滑な食品アクセスに関する新たな位置付け

・幹線物流やラストワンマイル等の課題がある中で、**円滑な食品アクセスの確保に関する施策を新たに位置付け**

※上記のほか、農業生産に不可欠な生産資材の安定確保、食品事業者に関する施策の追加など必要な見直しを行う。等

出所：首相官邸ホームページ

集した魚をどんどん開発している、新進気鋭のベンチャー企業。

２０２３年12月には、日本貿易振興機構（ＪＥＴＲＯ）が主催する、「日ＡＳＥＡＮにおけるアジアＤＸ促進事業」に見事選ばれ、まずは水産王国タイをターゲットに、同国で急成長する「ティラピア」を、ゲノム編集で超高速成長させる改良計画です。手始めにティラピアで参入し、そのあとはエビやシーバスなど他の魚もどんどんゲノム編集でアップグレードするという、まさにＳＦのような、人類初の試みがここ日本で繰り広げられているのでした。

国民にはほとんど知られていませんが、この会社のゲノム編集魚の養殖場は、すでに本社のある京都以外でも群馬県で設置され、さらに富山県や福井県などにも養殖場を設置し、アジアだけでなく日本国内でも、スピーディにビジネスを拡大してゆく予定になっています。

回転寿司チェーンの関心も高く、参入は枚挙にいとまがありません。

アメリカやＥＵも注目するこの新しい市場、是非ともこのゲノム編集魚で、世界に勝負をかけたい。そんな野望が見え隠れするように、政府は安全審査も表示も義務づけず、届出さえ出せば、海がない県でもすぐ陸上養殖に参入できるよう、規制を世界一ゆるくしておいたのでした。

海の生態系を壊さずに、タンパク源を安定供給、さらに儲かるという一石三鳥。

でも、本当にそうでしょうか？

マイナ保険証やコロナワクチン、新ＮＩＳＡなどで、もう気づいている人も多いでしょうが、政府が私たち国民に何か新しいことを勧めてくる時は、いつもメリットしか教えてくれません。

緊急時だからと通常のプロセスをすっ飛ばして開発した、人類初の新型コロナワクチンと同じように、世界初の試みであるゲノム編集魚もまた、環境や人体、生態系への影響は、未知数であることを、私たち国民は理解しておいた方が良いでしょう。

京都の宮津市がゲノム編集フグをふるさと納税に入れた時、政府が太鼓判を押すこの魚の安全性に違和感を抱いた市民グループが、養殖方法や水質についてなどの情報開示を求めました。

けれど「企業秘密」と言われたら情報は引き出せない上に、陸上養殖は海ではないので漁業法の適用外、どんな排水を流しているかも、ミステリーにされたままです。

新しい農業基本法の、他の改正部分はどうでしょう？

〈有事に海外から食べ物を輸入できるよう、輸出国への投資を増やす〉

これを読んだ知り合いの農家が、開口一番こう言いました。

「違和感しかないね。だって日本へのトップ輸出国は、アメリカですよ」

コロナやウクライナ紛争で、食を輸入に頼ることがいかに危険なことか、有事の時に国内で食料確保できる体制を作ることがいかに急務であるかを世界中が実感したばかりです。

それを今までと同じ発想で、緊急時に食料を回してもらえるよう、アメリカの農業に投資しておきましょうと言うのは、いったい誰が考えたのでしょう？

そもそも輸出国の農産物の生産に投資したら、当然輸入し続けなければならず、ますますアメリカに胃袋を握られてしまうではありませんか。

有事になった時、本当に確実に輸出してくれる保証はありません。

第一もし輸出してくれたとしても、有事の時に輸送経路が安全とは限らないのです。

日本を降伏させるには海上封鎖だけで十分だ

第二次世界大戦末期、日本はシーレーン（海上で物資を運ぶ航路）のほとんどが破壊され、食料も石油もほとんどの輸入がストップ、国民は飢餓状態に陥りました。

この時期のことを、元国務次官補で米国戦略爆撃調査団のポール・ニッツェ副団長はこう振り返っています（ＮＨＫ「ドキュメント太平洋戦争第１集」１９９２年放送）。

「日本を降伏させるには、海上封鎖だけで十分だった。本土上陸もソ連参戦も必要なかった……」

今なら例えば、緊張が高まっている〈台湾有事〉が起きて、中国が台湾に貿易圧力

日本のシーレーン

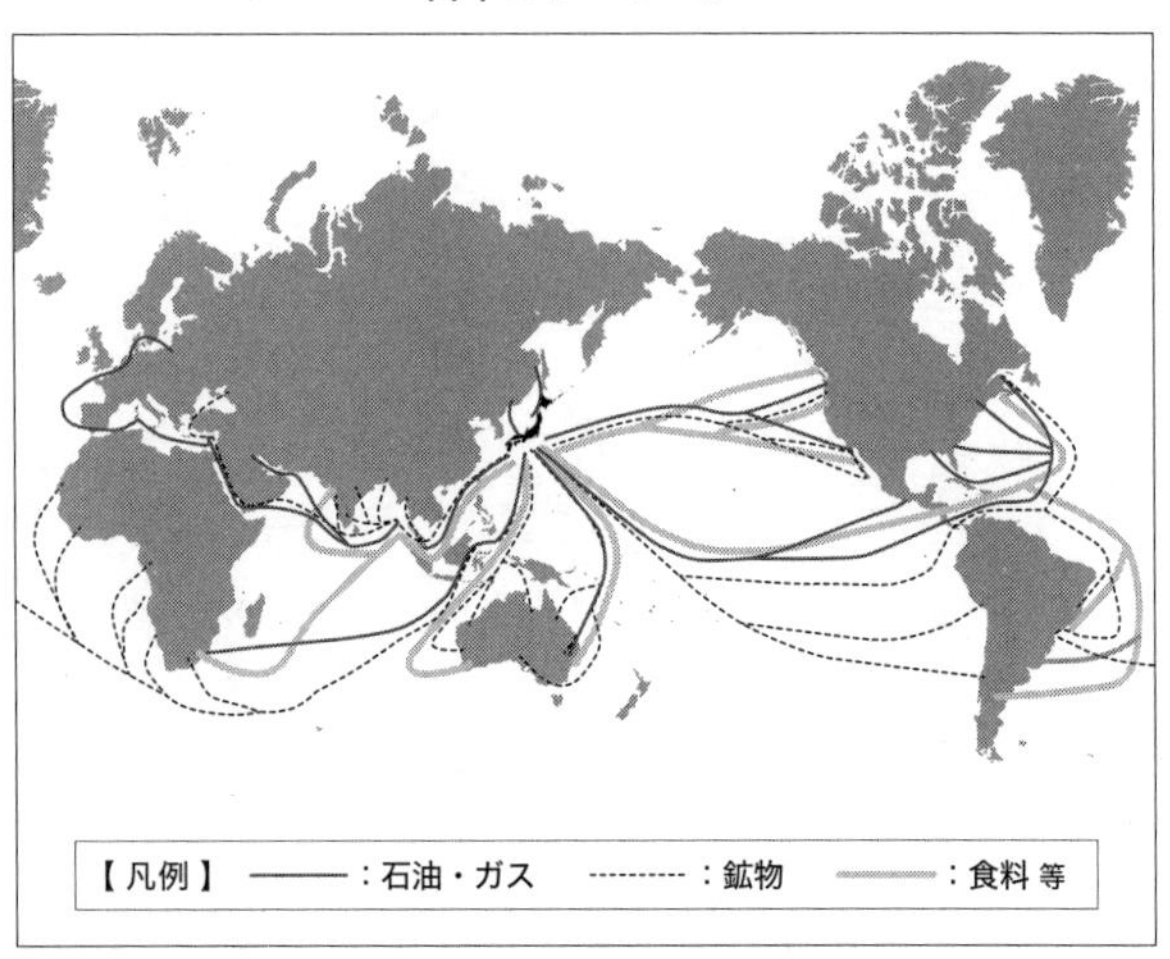

出所：海上自衛隊ホームページ

をかけたら、日本のシーレーンでもある、台湾周辺海域が一斉封鎖されるでしょう。

私たちの税金で、中古のアメリカ製武器をいくら買っても、シーレーンが止められたらひとたまりもありません。

政府やマスコミが〈緊急〉という言葉を言い始めたら、こう問いかけてみてください。

〈選択肢はどれほど守られるのだろう？〉

日本のどこかで災害が起きても、

他の地域の食料が無事なら、融通し合えるからです。地域ごとに在来のタネを守り多様性を維持できていれば、異常気象で凶作になってもまたやり直せるでしょう。

有事に備えて投資すべき相手は、輸出国よりまずは国内農家であり、もしも老後が不安な個人なら、今株価が高騰しているこのタイミングで株などを買うより、小さくても農地を買った方がはるかに安心です。

ただしその前に、一つ深刻な問題をクリアしなければなりません。

日本は実はもうすでに、食料〈有事〉の崖っぷち、肝心の、食べ物を作る農家が、ギリギリの状態なのです。

食べ物を作る人たちが崖っぷち

最近私の友人が「スーパーに行ったら、普通の野菜の値段が、有機野菜と同じくらい高くなってた」と驚いていました。世界情勢の激変により、農家は輸入の飼料も肥料も農業資材も、価格高騰と品薄で手に入らず、値上げしても苦しい状態なのです。

安い米価がさらに暴落しているのに、政府はアメリカから大量にお米を輸入、余らせた分を飼料米に回しています。

その一方で、お米の需要が減っているから、お米以外の作物に変えたら交付金をあげましょうと言っておいて、農家が水田から苦労して畑作物に移行したら、今度は5年間で一度も水張りしなければ交付金なし、と手のひら返し。

身動きが取れなくなってしまった農家が、激怒しています。

作っても作っても赤字になるので「もうバカらしくなった」と、お米作りをやめてしまった人が私の周りにも何人もいますが、無理もないでしょう。

飼料の多くを輸入に頼っている酪農家たちも苦しんでいます。

牛たちの餌もエネルギー代も高騰し、一生懸命育てた仔牛も、普段は平均10万円以上で売れていた価格が暴落して100円でも売れないのでは、泣くに泣けません。

なのに政府は彼らに向かって、「牛一頭を処分したら15万円補助を出す」と言いながら、外国から乳製品の輸入を増やしているのです。

農水省は食料自給率を上げなきゃ大変だ、と言いますが、コロナ禍で明らかになったように、自給率を下げている理由の一つは、牛たちの「餌」のほとんどを輸入に頼っていること。

横浜国立大学の田代洋一名誉教授は、日本が食料自給率を上げるには、水田をどんどん利用して、牛たちが食べる飼料米やＷＣＳ（稲の穂と茎葉を丸ごと発酵させた家畜飼料）を国産で作るのが最良の策だと提言しています。

すでに、実践して素晴らしい結果を出している、事例を一つ見てみましょう。

鹿児島にあるカミチクホールディングスは、工場で１日最大１００トン製造する発酵飼料のうち、原材料の６割を国産にすることに見事成功、その取り組みがＮＨＫ鹿児島局に取り上げられ話題になりました。

後継者不足と価格高騰で米農家が次々に廃業する中、定額買い取り方式で、地元農家の飼料米作り参入を拡大、国産米を加工した発酵飼料で、世界に誇る和牛の肉質をあげて付加価値をつけるという試み。地元の農協や関係者からの注目がやみません。

カミチクホールディングスの上村昌志(かみむらまさし)社長は、農業と畜産を国内自給することの重要性をこう語ります。

「これからの社会は農業とか畜産が、日本をすごく引っ張っていきますよ。私はそういう自覚でやっています」

弱肉強食で、容赦ない競争世界の巣窟と呼ばれる、ニューヨークの金融業界を辞めて帰国した私が、何度も感激させられたことの一つが、日本の中小企業のこういうところでした。お客様と社員と社会、全方位の幸福に貢献することを目指す〈三方よし〉の精神に触れるたびに、心が洗われる思いがします。

私が好きだったアメリカも、かつてはそういう精神が生きていました。会社と労働者が共に繁栄できる道を目指したヘンリー・フォードや、巨万の富を築いた後、退任して図書館や学校や平和のために私財を投じた鉄鋼王アンドリュー・カーネギーなど、私利私欲より公益を尊ぶ素晴らしい企業人が、本当にたくさんいたのです。

80年代以降、金融業界が製造業を追い越して、自らをマネーの神様と呼ぶような人々が政治を動かすようになり、〈今だけカネだけ自分だけ〉の支配が暴走したことで、アメリカは滅びの道を走り始めたのでした。

カミチクホールディングスの上村社長のような経営者が、まだここ日本に数多くいることの価値を、農水省ははたしてわかっているでしょうか？

新しい農業基本法の改訂部分を読んでゆくと、どうも逆ではないかと、思わずにいられないのです。

例えば、食料安全保障強化の具体策として他に挙げている、農業法人の基盤強化として書かれているのが、これです。

〈人材派遣・スマート技術等を活用した支援、農業経営の支援を行う事業者の活動の促進〉

はい、これを読んで、再びデジャブを感じた方は、多いのではないでしょうか？

五輪ボランティアやコロナ禍のワクチン予約コールセンター、マイナカード関連事業にＮＩＳＡの説明スタッフなど、公金を使った政府事業で巨額の利益を上げている〈パソナグループ〉が、第2章に続いて、この章でも登場です。

繰り返すようですが、同社はプロジェクトが終わった頃に、ダイナミックな中抜き祭を繰り広げていたことが週刊誌にすっぱ抜かれるも、喉元過ぎるとまた政府事業にしっかり参入。農業の方でも政府からの新事業受託に備えた、スマート農業関連サービスの準備に、抜かりはありません。

支払われる農業用予算は私たちの税金ですから、ここはひとつ、この祭りはしっかり注視しておく必要があるでしょう。

その際に、おさえておかなければならない、ある法則があります。

〈国民や野党議員に、あまり細かくチェックされたくない法案ほど、政府は法案の成立プロセスを荒く、スピーディにして保険をかける〉

２０２１年のコロナ禍で、拙速(せっそく)に国会で通した〈デジタル改革関連法案〉を覚えていますか？　あんなに重要な法案なのに、審議時間は30時間以下、63本もの法案を全部まとめて一回で採決させるという、滅茶苦茶な荒技を使って強引に通したことを。
それだけ後ろめたい、時間をかけて見られると、まずい法律ということです。
案の定、成立後にフタを開けてみると、個人情報保護がかなり緩められていること
を初め、ツッコミどころ満載の内容でした。
では今回の〈農業基本法〉はどうでしょう？
案の定、おかしな仕込みをしていました。

大事な農地がどんどん売られる

この章の後半に詳しく書いた「食料供給困難事態対策法案」に、「スマート農業技術活用促進法案」「農業振興地域整備法などの改正案（農振法、農地法、農業経営基盤強化促進法の３セット）」の３本まとめて一度に審議＋採決するというのです。

この話を知り合いの地方議員に話したところ、「もうこの時点で違和感だらけ、怪しさ満点じゃないか！」と呆れていました。

さらに、近年政府がどんどん規制を緩めている「農地法」（企業による農地所有の規制）も、さらにハードルを下げています。

現行法では出資の50％は農民でないといけないところを、農業をやっていないオーナーが3分の2まで所有して、実質経営権を握れるように、変えてしまいました。

これ、大丈夫ですか？

皆さんもご存知のように、今や世界中で、限りある農地の争奪戦が繰り広げられています。

拙著『ルポ　食が壊れる』でも詳しく書きましたが、世界でも有数の「黄金の土壌」を持つウクライナは、何十年もの間、外国人に農地を買われないよう法律で守っていました。

けれどゼレンスキー大統領は、紛争のどさくさの中でこれを規制緩和、今では世界最大の投資銀行をはじめ、欧米アグリビジネス大手の手に渡ってしまったのです。

食料を作る農地。

国民の生命線である水源。
どちらも外国に握られてしまったら最後、軍事力を使わずとも支配されてしまいますから、最近はどこの国でも、外国人による土地購入の規制を、強めているのです。
例えばオーストラリアでは、中国企業に大量の農地を買われ、そこで育てたブドウで作ったワインが、オーストラリア産高級ワインとして中国富裕層に輸出されていることが、議会で安全保障の大問題になった結果、規制を厳しく作り替えたのでした。
日本からの輸出拡大に、
スマート農業の促進、
そしてこの、企業による農地所有の規制緩和。
バラバラだった点をつないだ先にある、違和感の正体が見えますか？

自国農家に増産ノルマ、拒否なら罰金20万円

政府が農業基本法改正とセットで出してきたのが、これまた輪をかけてモヤモヤす

る法案です。

〈食料供給困難事態対策法案〉

日本の法律の名前はだいたいが長くてわかりにくいのですが、これは珍しく、見ただけで状況が目に浮かぶネーミングではないでしょうか。

内容は、日本で主食（米・小麦・大豆）の供給が、普段より2割以上減った時、政府が生産ノルマを決めて、農家に増産計画を出させる、というもの。

自らの意思で政府の生産計画を実施しなかった農家は、名前が公開され、罰金も払わなければなりません。

そういえば偶然にも去年（2023年）から、「農地中間管理機構」という中間団体が農地の貸し借りをまとめて担うことになったのですが、あの法改正（改正農業経営基盤強化促進法）と今回の法案の組み合わせに、ある農家の方が不吉な違和感を覚えたとこう言っていました。

「これはやばい。罰金対象になったら最後、それを理由に農地の貸し剝がしにあう可能性がある」

前述したように、今、世界中が食料安全保障のためにまず自国の農地を死守する方向に向かっている中、この新しい法案は、むしろ日本の農家を土地から引き剝すような、まずいからくりになっているのです。

また、こうも書いてあります。

限られた食料が国民全員にまんべんなく届くよう、国は事業者に供給量の指示を出し、農家と同じように事業者にも、出荷・入荷計画を作らせて管理する。

パンデミックの時、マスクの値段が跳ね上がったり、強欲な転売ヤーたちが買い占めたマスクをメルカリで法外な値で売ってぼろ儲けしていたのを覚えていますか？

食料でああいうことが起きないよう、国が価格を統制したり、食べ物を配給制にしたりすることで、強欲な買い占めを防げるというのですが、「価格統制」「配給制」という言葉に、早くも戦時中の「国家総動員法」を思い出す人が、続出しています。

農業版「緊急事態条項」でじわじわ外堀が埋められる

それだけではありません。

米、小麦、大豆の他にも、卵や油など日常的に消費するものを「特定食料」に指定して、農家だけでなく流通業者にも「出荷や供給量の計画」を出させるのです。

〈これなら、スーパーに行って商品棚が空っぽだった、なんてことがなくひと安心！〉

本当にそうでしょうか？

ここまで管理されると、意図的に食料危機を作り出すこともできてしまいます。

そしてその時、食べ物を買う側の私たちに、選択肢はありません。

有事には首相をトップとする対策本部を設置して、必要な指示や命令を可能にするという、まさに〈令和の国家総動員法〉のようなこの法案。

第1章で触れた「地方自治法改正」が「地方版・緊急事態条項」だとすると、これはさながら「農業版・緊急事態条項」でしょう。

本命の憲法改正の一部である、「緊急事態条項」は、多くの反対が予想されますが、万が一そちらがなかなか進まなくても、地方や農業という別の分野から、じわじわ外堀を埋めてゆくことで、私たち国民が気づいた時には、すっかり下地ができているというわけです。

そうなる前に、私たち国民は違和感を抱いたらそのままにせず、点と点をつないで想像力を使いながら、このようなおかしな動きには、しっかり待ったをかけねばなりません。

日本人は、性善説をベースに考え、対立より調和を好む傾向がありますから、〈政府が自国民にそこまで悪いことをするはずない〉と考える人は多いでしょう。

食べ物が手に入らなくなるような状況になったら、やっぱり国にちゃんと管理してもらわないと不安、と思う人もいるかもしれません。

けれど〈緊急事態〉という言葉には、魔力があるのです。

コロナ禍の数年間を、今一度思い出してみて下さい。

私たちを恐怖で思考停止させ、メリットしか知らせないことで選択肢がないと思い込ませ、不安を煽ることで大衆心理につけこんで、皆と同じ行動をとれば安心という錯覚を起こさせる。政府やマスコミはもちろんそのことをよくわかっていますから、私たち国民が、注意して身を守るしかありません。

まずはいったん深呼吸、目線を少し横に広げて、こう問いかけてみてください。

〈日本以外の国では、食や農業の危機は、今どんなふうに扱われているのだろう?〉

もしかして、他国でも同じようなことが起きていないでしょうか?

漁業と農業を犯罪化する「エコサイド法」

2024年1月17日。

毎年スイスのダボスで開かれる世界経済フォーラム(ダボス会議)で、こんな発言が話題を呼びました。

「自然に対する大規模な被害や破壊を意味する〈エコサイド〉という言葉が一般的に

なりつつあるのです。私たちの組織や協力者が目指しているのは、これを重大な犯罪として法的に認知させること」

ジェノサイド（大量虐殺）をもじった「エコサイド」という用語を紹介したのは、ストップ・エコサイド・インターナショナル代表のジョジョ・メータ氏。

この言葉は、米軍がベトナム戦争で、南ベトナムの田園地帯に８０００万リットル近くのエージェント・オレンジやその他の除草剤を散布した後に作られたのでした。

アメリカの科学者や弁護士たちは、戦後のベトナムを視察した際、その壊滅的被害にショックを受け、除草剤の兵器利用反対キャンペーンを開始したのです。

その結果、１９７５年にフォード大統領が枯葉剤使用を放棄する大統領令に署名し、１９７８年の国連〈環境改変技術の敵対的使用禁止条約〉発効につながったのでした。

こうして生まれた「エコサイド」という言葉が、その後数十年間の時を経て、ある時突然、〈気候変動キャンペーン〉のツールとして、息を吹き返したのです。

ストップ・エコサイドという団体は、外交官、政治家、企業、NGO〈非政府組織〉、学者と協力し、「農業」「漁業」「エネルギー生産」のもたらす環境破壊を、大量殺人や拷問(ごうもん)と同じ重犯罪として処罰するための、法改正に取り組んできました。

〈エコサイド禁止法〉が導入されれば、国際刑事裁判所や各国政府が、温室効果ガスなどを出す犯罪者とみなした農業や漁業、エネルギー企業などを、〈将来の科学的予測〉に沿って、起訴できるようになるのです。

ここでざわざわと違和感を覚えるのは、〈将来の科学的予測〉の部分でしょう。

昨今、新型コロナや気候変動、ウクライナ紛争など、ある特定のテーマについては、対極にある情報や異論が一切許されない、おかしな空気が作られているからです。

科学的予測が正しいかどうか考える材料が欲しくても、一方の側のものしか手に入らなければ判断できません。

〈気候変動〉の名の下に、農業を犯罪化するという、欧米発の〈エコサイド〉。

ついには私たちの主食であるお米までが、ターゲットにされはじめました。

コオロギ食べろの次は田んぼが悪者？

ダボス会議2024年の「気候と健康」分科会では、水田についてのこんな発言が注目されました。

「アジアのほとんどの地域では、いまだに田んぼに水を張る必要がある。……（中略）米の生産はメタンガスの最大の発生源の一つであり、温室効果ガスという意味では、二酸化炭素の何倍も有害だ」

こう主張していたのは、モンサント社を傘下に持つドイツの化学大手バイエル社のCEOビル・アンダーソン氏です。

たしかに、農業が出す温室効果ガスの18％は稲作由来、そしてまた、アンダーソン氏の言うように、水田の底の泥から、CO_2の28倍の温室効果を持つメタンガスが発生するのは事実です。

ですが、実際はそこまで心配する必要はありません。

たとえば、魚を水田に放すことで、最大90％のメタンガスが削減できるなど、すでに実証されている解決策があるからです。

魚の食べるものは水田の中にあるので、一度放したら餌をやる必要もなく、水中の好循環によって収量も上がるという一石三鳥。

バイエル社に余計なお世話をされずとも、水田の持つ多様性への理解なら、長年いのちの循環に寄り添ってきた、アジアの米農家の右に出る者はいないでしょう。

加えて、国立環境研究所のデータを見ると、2018年度に日本全体で排出された温室効果ガスは12億4000万トン、そのうちメタンガスは二酸化炭素にすると3000万トンで、全体のわずか2・5％です。

稲作の弊害を語る前に、まずはダボス会議に来る道中に、自分たちのプライベートジェットが撒き散らしてきた二酸化炭素の排出量を計測し、その〈エコサイド〉ぶりの反省会をする方が、よほど世のため人のためでしょう。水田の多様性と循環力を生かした環境創造型農法で、コウノトリとの共生を実現した、世界に名高い兵庫県豊岡市の視察ツアーなども、大いにお勧めです。

皮肉なことにこの会議の約２週間後、ドイツ・フランクフルトの市場では、バイエル社の株価が急落しました。

同社傘下の米モンサント部門が販売する除草剤「ラウンドアップ」でがんになったと訴えられた裁判で負け、裁判所から22億５０００万ドル（約３３００億円）の支払いを命じられたからです。

この除草剤の安全性をめぐる議論が今も続いているＥＵでは、農薬業界の熱心な働きかけで２０２３年に使用が再承認されるも、すぐに今度は市民側が反撃、今度は欧州科学機関と欧州食品安全機関を訴えて、新たな戦いが幕を開けたのでした。

そもそも〈エコサイド〉とは一体、何を指すのでしょう？

太古からの人間の営みの一つである農業や漁業や稲作が犯罪になるのなら、世界の食の８割を生産している小規模農家や漁民を追い詰め、地球環境と生態系を、汚して破壊し搾取するグリーンウォッシュを宣伝し、いのちに特許までつけて独占する〈今だけカネだけ自分だけ〉の強欲経済活動は、一体何と呼べばいいでしょう？

２０２３年11月に来日したインドの哲学者ヴァンダナ・シヴァ博士と対談した際、彼女はこう言っていました。

「食の危機を乗り越えるためには、その土地の風土にあって、どんな異常気象にも負けない、安全で質の良い『在来種子』の保護と活用が不可欠です。

いのちの源である種子に、そこに住む生産者がちゃんとアクセスできて、自分たちの土地があり、農村共同体があれば、自然の循環が恵みをもたらしてくれ、私たちは決して飢えることはありません。政府の仕事は、農家を強権的に管理することではなく、大事な土地やタネや食文化が、外資や一握りのグローバル企業に奪われないように守ること。私たちはその方向へと、もっと政府を動かしていかなければなりません」

アジアの水田を環境破壊だと批判したバイエル社は今、ゲノム編集技術を使った、世界の種子市場の独占を狙っています。

ところが日本政府の出した新しい農業基本法をみると、「種子」に関する記述はどこにもありません。

この法律は、今後私たちやその子どもや孫まで食べさせてゆく、日本の農業にとって、とても大切な「憲法」です。

ブログやＳＮＳや口コミで拡散し、「在来のタネを守る」一文を是非書き入れてもらうよう、政府に意見を送ったり、地元の地方議員や国会議員に対して、このことの重要性を伝えていきましょう。

欧州に広がる21世紀の農民一揆

２０２２年。オランダ政府が自国農家に牛の大幅削減を強要し、強制的な土地回収まで示唆したことに激怒した農民たちが、大規模な反対デモを起こした事件を知っていますか？

農家を狙い撃ちにしたこの脱炭素政策は、ＥＵから全加盟国に指示が出たために、各国で農民たちの怒りが爆発し、抗議運動があっという間に勃発したのでした。

スペイン郊外に住む農夫リカルド・マルティネスは、怒り心頭でこう語ります。

「農業や畜産がガスを出すから縮小しろだなんて、馬鹿も休み休み言え。代わりに遺伝子組み換えだの昆虫だの、フードテックだのって、初めから違和感しか覚えなかった。

俺たち農家には作りたいものを作る権利があるのに、政府は地球が緊急事態だと言って、農家を潰そうとしているんだ」

脱炭素を理由に農業用ディーゼル燃料の補助金を切り、ウクライナから関税ゼロの安い農産物を大量輸入したドイツでは、２０２４年1月に農民約3万人とトラクター５０００台が首都ベルリンに集結、掲げられたプラカードの文字は、こうでした。

〈農家なしでは食がなくなり未来も消える　(No Farmers, No Foods, No Future)〉

農家いじめ政策に激怒した、農家による政府への嫌がらせの度合いでは、フランスが群を抜いてトップでしょう。

異臭を放つ家畜の糞尿を、にやにや笑いながらホースで撒き散らすその姿は、サディスティックですらありました。

そういえば、ニオイを嗅ぐことで懐かしい記憶や当時の感情が蘇(よみがえ)る〈プルースト効果〉という言葉の元になった小説『失われた時を求めて』を書いたマルセル・プルーストも、やはりフランス人でした。

糞尿を撒き散らすというダイナミックな攻撃によって、間違いなくトラウマを植えつけられただろうフランス市庁舎の職員たちには、さすがに同情を禁じ得ません。

その心理的効果の高さが評価されたのでしょうか、その後ブリュッセルで他国の農民たちが、フランス式を参考に、欧州連合本部に糞尿をかけている動画が拡散されたのでした。

農民一揆(いっき)のこの波は、スペインにイタリアにアイルランド、スコットランドにポーランド、ギリシャにベルギーにリトアニアと、欧州全土に拡大し、軒並み大変なことになっているのです。

「あなた方の抗議デモを、マスコミはどう取り上げているんですか？」

ベルリンでのデモ参加者数名にそう聞くと、みな怒りのため息をつきました。

「これだけの規模の反政府抗議なのに、ほとんど取り上げられていません。たまに小さく記事が出たと思ったら、〈極右の台頭〉とレッテル貼りです。

主要メディアは政府側なんだという現実を、今回初めて知りました」

多くの国では、政権にとっての真の脅威を、主要メディアはまともに報道しないのです。

農民だけでなく建設業界や流通業界など、あらゆる業界の人々が加わって、警察が抑えられなくなっているこのデモは、確かに政府側にとっての大きな〈脅威〉でしょう。

ブリュッセルの欧州連合本部前では、待機していた機動隊に農民たちが卵や堆肥(たいひ)や発火装置を投げつけ、火災が起きる騒ぎになりました。

ヨーロッパ全土で起きている、歴史的規模のこの農民一揆、皆さんは日本の地上波テレビで、どれだけ見たことがありますか？

戦時中、いのちがけで花の種子を守り抜いた房総の農婦

前述した〈農業基本法改正〉と〈食料供給困難事態対策法案〉。

2023年5月の、農水省による検討段階での「花農家にも米や芋（いも）を作らせる」案は、当初「まるで戦前復帰」だなどとネタになっていたものの、そろそろ笑い事じゃなくなってきました。

千葉の房総半島出身の友人は、この話題を聞いたお母様から、第二次世界大戦末期に本土決戦を控えた軍隊のために、花農家が芋を作らされた話を聞かされたそうです。

当時の日本は、花を作ると非国民と呼ばれ、隣近所が監視し合う密告社会でした。

そんな中、〈緊急事態〉だと言われてあちこちで花の苗が根こそぎ引き抜かれることに違和感を覚え、命がけでこっそり花の種子を守った、リンという一人の農婦がいたのです。

他県の人々には、あまり知られていないだろう話ですが、私は今このエピソードに、深く考えさせられずにいられません。

食と農業が日に日に管理されてゆく中、リンは花を抜く時もわざと種子を残すようにしたり、掘り出した球根を捨てず、人のいない山奥に隠しておいたのです。

戦争が終わり、彼女がこっそり球根を埋めた山に行くと、自然の循環でふかふかになった土の上一面に、真っ白いスイセンの花が咲いていたのでした。

彼女の勇気と行動力のおかげで、戦後すぐに、また花作りが再開できたという貴いこの実話は、小説や映画、合唱曲となって、今も語り継がれています。

狭い地域で隣近所がそっと協力し、密かに花の種苗を守った地域からは、その後、農民運動が発展していったのでした。

政府が今、緊急時の食料対策として掲げる、「花から芋へ」。

有事になって「さあ芋をよろしく！」と見回した時、今日本でどんどん数が減り、多様性を失いつつある国内の花農家は、はたしていくつ残っているでしょう？

農家の数が減ることは、それだけ画一化されてゆくということです。

他国の例を見れば、有事にピンチを切り抜けられたのは、食の生産に多様性がある国でした。

食料危機の名の下で〈農業版・緊急事態法〉が、静かに外堀を埋めてくる今、違和感を抱いたら見逃さず、いのちの源である種苗と農地を、守っていかねばなりません。

虫の声を聞く感性が日本人を守る

内閣府の「ムーンショット計画」が推進する昆虫食は、２０３０年までに1兆円規模の市場になると予測される、超有望ビジネスです。

けれど日本では、コロナ禍でマスコミがキャンペーンを展開したものの、消費者の抵抗が強く、思ったほど広がっていません。

2024年1月には、長野県茅野(ちの)市にあるコオロギ養殖・販売のクリケットファームが破産、徳島県の高校給食に出したコオロギ粉末入りコロッケで話題になった昆虫食ベンチャー・グリラスも、同時期にペッドフード部門「コオロギ研究所」を閉鎖しています。

グリラスの方は引き続き、ゲノム編集で遺伝子を循環型に作り変えたコオロギの大量生産を目指していますが、地球の飢餓(きが)を救うというそのスローガンを聞くと、どうしても違和感を覚えずにはいられません。

2024年1月。グラリスは大量生産を実現するために、NTT東日本と提携、大規模設備と技術と資金力を持つ巨大資本が入ってくることで、小規模事業者が淘汰され市場が独占されてゆく、今の食品業界と同じ流れになってゆくでしょう。

すでにゲノム編集関連の特許申請の大半が、少数の巨大グローバル企業に抑えられてしまっているように。

問題なのは多様性が排除されたシステムの方で、コオロギたちではありません。大いなる自然の循環の中にいる限り、コオロギも牛も私たち人間も、バランスよく共生してゆけるからです。

特許のついたゲノム編集技術と大量生産で〈循環する昆虫〉に作り変えずとも、日本には水田や森林をはじめ、優れた循環システムがたくさんあることを、私たちは今再び、思い出すべき時が来ているのでしょう。

コオロギといえば、アメリカに住んでいた頃、一緒にキャンプに行った友人たちに、クリケット（コオロギ）の声がオーケストラに聴こえると言って、笑われたことがありました。

彼らの耳には、ノイズ（雑音）に聞こえるらしく、いくらその美しさを説明しても、なかなかその良さが伝わりません。

後になって、他の国の人たちは虫の声を右脳で聞くのでうるさく感じるのに対し、私たち日本人は言語を聴き取る左脳でキャッチしているから、コンサートのような音色に聴こえるのだと教えてもらいました。

それを知った時、驚くと同時に、なんだか誇らしいような、嬉しい気持ちになったのを覚えています。

何も無駄なものがない、生物多様性の宝庫である水田は、アジアの国に住む私たちにとって、単に食べ物を生産するだけでなく、食と農を全体の一部として捉え、自然と共に生きてきた、尊い精神の象徴に他なりません。

戦時中、巡る季節の中で続くいのちを絶やさぬよう、必死で種苗を守った人たちがいたここ日本で、巨大工場で大量生産されるモノでなく、完璧なバランスを持つ大自然の一部としての、コオロギの音色を聴き取れる感性が、きっと私たちを守ってくれる。私にはそう思えてならないのです。

第4章

〈真実とウソ〉の違和感

～先入観を外せますか？

「裏金は秘書のせい」は〈偽情報〉に入るんですか？

２０２４年１月30日。

岸田総理は、Ｘにこう投稿しました。

〈悪質な虚偽情報やデマは決して許されません。災害時はもちろん、平時であっても、ネット上の虚偽情報等の流通は、時として人命に関わる問題です。岸田内閣は偽・誤情報対策に正面から取り組みます〉

元日に発生した能登半島地震の際に、ＳＮＳに嘘の救助要請など〈偽情報〉が出回ったことを問題として、有識者を集めた対策チームで、具体的検討を始めたのです。

これについてラジオで話したところ、複数のリスナーから問い合わせが来ました。

〈裏金問題のことで、国会議員が秘書のせいにしてるのをテレビで見たんですが、あれは偽情報に入るんですか？〉

〈悪質な投稿は取り締まった方がいいと思うんですが、偽情報かそうじゃないかは、

岸田文雄 @kishida230・1月30日
悪質な虚偽情報やデマは決して許されません。
災害時はもちろん、平時であっても、ネット上の虚偽情報等の流通は、時として人命に関わる問題です。
岸田内閣は偽・誤情報対策に正面から取り組みます。

岸田文雄首相のXより

誰がどうやって決めるんですか？〉

私たち日本国民にとって、今最も重要な違和感でしょう。

これと同じ疑問が出ているのが、２０２４年４月から始まる「戦略的コミュニケーション室」です。

日本とＮＡＴＯで協力し、ＳＮＳを検閲して安全保障の脅威になるような偽情報を見つけ出し、ファクトチェックしてから、それを打ち消す情報を、素早く発信するというもの。

そもそも内閣官房の組織が、日本が加盟もしていないＮＡＴＯと連携すること自体に、かなりの違和感を覚えますが、先ほどのリスナーの疑問を考えると、日本政府やＮＡＴＯの見解に反するものは「偽情報」になるわけで、そこを心配する声が出ているのは、無理からぬことでしょう。

アメリカで9・11テロの後、テロリストから国民を守るという目的で、政府が国内の電話やファックスやメールをくまなくチェックし始めた時、野村證券の同僚でアメリカ人のトレーダーが、こうぼやいていたことを思い出しました。

「自分のブログが消されても、どの部分がテロにつながる思想だと判断されて引っかかったのかは、絶対に教えてもらえないんだよ」

違和感を覚えるポイントは、今も、やはり変わりません。

何が偽情報で、何がそうじゃないかは、誰が、どうやって決めるのでしょう?

EUの公式見解に反するものはすべて〈偽情報〉

最近、同じように偽情報の定義が問題になっているのが、EUです。

2023年10月20日。アイルランドのクレア・デイリー欧州議会議員は、議会でこう発言しました。

「私は何年も前から、ＥＵが私たちの社会を大きく乗っ取る危険性について警告してきました。ええ、偽情報は存在する。確かにその通りだし、それは深刻な問題です。でもＥＵは、何が偽情報で何がそうじゃないかを決める機関であってはなりません。なぜなら、今ここの政治文化はとても不寛容で、ＥＵの公式見解に反するものは、全て偽情報とみなされるからです。

メディアは嘘を繰り返し、大衆は一方的な意見を押しつけられることにうんざりしています。ＳＮＳが、私たちに残された最後のスペースなんです」

デイリー議員が批判しているのは、この発言の２ヶ月前からＥＵで施行されている「デジタルサービス法」です。

２０２２年４月に成立したこの法律は、ＥＵからビッグテック（グーグルやフェイスブックなど、世界的影響力をもつ巨大ＩＴ企業）に何十億ドル（何千億円）もの罰金を科し、ヘイトスピーチや偽情報、有害コンテンツを取り締まる権限を与えるもの。

ネットを検閲し、偽情報を監視して投稿者を特定するのは、

【ＥＤＭＯ：デジタルメディア観測所】。

数百人の官僚がチェックするテーマは主に、移民政策や気候変動、新型コロナウイルスにＬＧＢＴ、ウクライナにガザ……。

ＥＵの公式見解に反する情報や、公衆衛生に危険をもたらすとみなされた投稿は偽情報に認定され、ＥＤＭＯからプラットフォーム企業に検閲が指示され、速やかに削除や凍結されます。

対象企業は、グーグル、フェイスブック、インスタグラム、ティックトックにエックス、ユーチューブ、アマゾンといった大手のほか、ウィキペディア、リンクトイン、スナップチャットまで広範囲。投稿削除の判断は、全てＥＤＭＯ側が独自に判断するという、ジョージ・オーウェルのディストピア小説『１９８４』も真っ青な、徹底した検閲システムでしょう。

２０２３年７月に、中国資本のティックトックが、欧州ユーザー数百万人にプロパガンダ広告を大量配信した事件を挙げて、ＥＵは「中露の偽情報からネット空間を守る」ことの重要性を、ことあるごとに強調しています。

でも、本当にそうでしょうか？

偽情報を出すのは、ロシアや中国だけとは限りません。

実はこの間アメリカでは、偽情報どころか、「まさに小説『１９８４』だ」というショックな声が出るような、大事件が起きていたのです。

ツイッターファイルという爆弾

２０２２年11月３日。

ツイッター（現X）社の社員たちが異変に気がついたのは、いつものように仕事をしようと、自宅でパソコンを開いた時でした。

社内メールからログアウトされ、スラック（コミュニケーションアプリ）にも入れません。

おかしいなと思った時には、すでに社員の約半数に、解雇を告げるメールが送られていたのです。

10月27日に、大富豪イーロン・マスク氏が同社を440億ドル（約6兆4000億円）で買収してから、1週間後のことでした。

解雇された一部社員は、これを不当解雇だとして訴訟を起こし、AP通信などの国内主要メディアには、すぐにこんなヘッドラインが流れます。

〈ツイッター社を買収したイーロン・マスク氏、コスト削減のために社員の半数解雇〉

血も涙もない大富豪の気まぐれで、突然クビにされた気の毒な社員たち、という印象です。

でも本当にそうでしょうか？

フタを開けてみると、血を流していたのは、もっと別の、重要な部位でした。

ホワイトハウス幹部やFBI、個々の民主党議員に至るまで、ありとあらゆる政府関係者と、ツイッター社員が交わした秘密メールの一部始終を記録した、何千もの社内文書が、暴露されたのです。

それは、アメリカ政府がツイッター社に、特定のアカウントの凍結や、投稿を削除する圧力をかけていたことを示す、驚くべき内容でした。

これを知ったマスク氏はまず、アメリカ、日本、アルゼンチン、ブラジルなど、各国のユーザー投稿から偽情報を探す、アルゴリズム担当の契約社員を全員解雇します。

そして、マスク氏の承認の下、マット・タイビー、バリー・ウェイス、リー・ファン、マイケル・シュレンバーガー、デイビッド・ツヴァイクという、５人の敏腕ジャーナリストが、この「ツイッターファイル」を無編集でネットに公開、米国内のみならず、世界中に衝撃が走ったのでした。

たとえば、２０２２年１月から６月にかけての半年間、世界85カ国からの削除依頼は５万３０００件以上、その95％が、わずか５カ国の政府機関などからだったのです。

前年の２０２１年上半期、同社は19万６８７８あるユーザーアカウントのうち、指定された4万3387件の投稿を検閲し、削除していたのでした。

削除要請件数トップは、まさかの日本

削除要求件数が最も多かった国は、一体どこだったのでしょう？

英字新聞ジャパンタイムズ紙が、ヘッドラインを出しました。

【ツイッターが記録的な数の政府によるコンテンツ削除要求を目にする中、日本が群を抜いてリード】

まさかこんなところで世界トップを取っていたとは……。

各国政府から特定の報道機関やジャーナリストの投稿を削除するという依頼を受けたツイッター社は、〈完全削除〉と、投稿を本人しか見えないようにする〈影の禁止〉と呼ばれる手法などを、その都度組み合わせて対応していたのでした。

そういえば、以前私がツイッターを使っていた時、よく違和感を覚える現象があったのを思い出します。特定の投稿だけなぜか反応がないことや、ある投稿をした直後

ツイッターへの削除要求を報じるジャパンタイムズ記事

Twitter said governments around the world made requests to remove content from a record number of user accounts between January and June last year, with the most coming from Japan, in data to be released by the social media company on Tuesday.

The platform said governments made 43,387 legal demands for the removal of content from 196,878 accounts in the six-month period, according to data in its latest transparency report.

出典：ジャパンタイムズ2022年1月26日

ツイッター社は、昨年1月から6月にかけて、世界各国の政府が過去最多のユーザーアカウントからコンテンツの削除要請を行ったと発表した。ソーシャルメディア企業が火曜日に発表したデータでは、日本からの要請が最も多かった。

同プラットフォームの最新の透明性報告書によると、各国政府はこの半年間に、196,878のアカウントに対して43,387件のコンテンツ削除の法的要求を行ったという。

に、７万人強のフォロワーが一気に消えたりしたことがあったのですが、今思えば、あれもそうだったのかもしれません。

ホワイトハウスからの削除依頼は、バイデン大統領の息子をめぐるスキャンダルや、新型コロナウイルスの出所、ワクチンやｍＲＮＡについて政府見解に反するもの、気候変動についての反論や、トランプ関連全般など、多岐にわたっていました。

他にも、米政府やＷＨＯ、ＣＤＣ

日本政府からツイッター社への削除要請件数推移

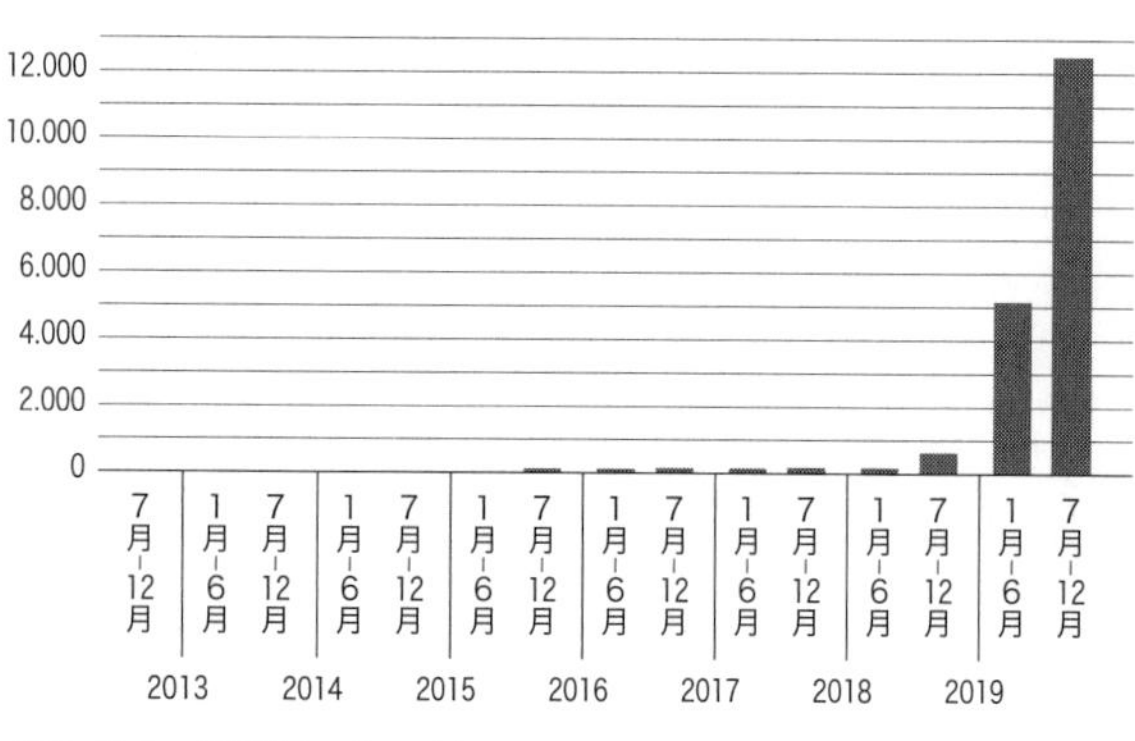

出所：Twitter透明性センター　Transparency.twitter.com

（米国疾病予防管理センター）の見解と異なる投稿をした著名な医師のアカウントに「疑わしい投稿タグ」をつけたり、他のユーザーからの返信やいいねも遮断し、最終的にはアカウント停止に追い込んだこともありましたが、（同医師はその後ツイッター社を提訴）いずれも氷山の一角でしょう。

　また、ユーザーのアカウント情報自体を要求された件数は1万3000人分で、こちらのトップ5はインド、米国、フランス、日本、ドイツと、日本は2部門ランキング入り。

　主に犯罪関係の削除要請となっていますが、削除要請の推移を見るとなぜか日本は

２０１９年下半期以降はね上がっているのです。

この時期の実際の犯罪件数を見ると特に急上昇しているわけでもないので、名目上のカテゴリーと削除の中身が、必ずしも同じではないのでしょう。

バイデン政権がツイッター社に「新型コロナワクチンに関する政府発進と相反する投稿の削除要求」をした事実が憲法違反として裁判にまでなっている今、世界一の削除要請数を誇る日本政府も、削除要請を行う基準やその理由を公開すべきでしょう。

未知のワクチンやマイナカードへの疑問や不安の問い合わせに対し、「フェイクニュースだ！」と即ブロックすることで有名な河野太郎デジタル／ワクチン担当大臣にも。

政府の圧力に屈したことを後悔するツイッター元CEO

政府の検閲圧力に屈したことへの後悔を口にして、ツイッター社を去った、前ＣＥＯのジャック・ドーシー氏は、株式を非公開にするというマスク氏の決定について、こんな意見を述べました。

「私はツイッターを誰かが所有したり運営したりするべきではないと信じている。ツイッターは企業としての利益を求めるのではなく、公共の利益にしたいと望んでいる。しかし、企業であることの問題を解決するために、イーロンは私が信じる唯一の解決策だ」

ツイッターファイルが公開された後、同社は当時の責任者を全て解雇し、できるだけ検閲のないプラットフォームを目指すという、新しい方針を固めます。

イーロン・マスク氏個人に賛否はあれど、SNSの持つ可能性を歪めてしまったことを悔いたドーシー氏は、抜き差しならない状態にあったツイッター社を救ってくれたことへの感謝を繰り返し表明していたのでした。

EUの〈デジタルサービス法〉に抱いた違和感を口に出し、議会で警鐘を鳴らしたアイルランドの女性議員を思い出して下さい。

デジタル時代の言論の自由は、検閲されても目に見えないだけに、私たちが意識せず、おかしいなと思っても黙っていれば、どんどん小さくなり消えてしまうでしょう。

その後、政権批判投稿に対する削除要請に対して、ツイッター社の新しいアルゴリズム担当者がとったある対応が、ちょっとした話題になりました。

以前のようにただ黙って却下するのではなく、親切にもその投稿の下に、こんな注意書きを添えたのです。

〈この投稿は制裁の対象になりましたが、情報を開示することがユーザーの利益になると判断しましたので、閲覧可能とさせていただきました〉

「アメリカ史上最も危険な言論弾圧だ」

政府が検閲させていたのは、ツイッター社だけではありません。

メタ社傘下のフェイスブックやインスタグラムにも、同じ手が伸びていたのです。

２０２３年７月28日。

米国司法委員会のジム・ジョーダン委員長が、バイデン政権がメタ社と密に連絡を取り合い、特定の投稿をフェイスブックとインスタグラムから削除させていた証拠

フェイスブックに雇われていた元米政府職員

ＦＢＩ（連邦捜査局）＝37人
ＮＳＡ（アメリカ国家安全保障局）＝23人
ＤＨＳ（アメリカ合衆国国土安全保障省）＝38人
ＣＩＡ（中央情報局）＝17人

を、オンライン上で公開したのでした。

これによると、なんと11もの政府機関が、ＳＮＳ大手と頻繁に連絡を取り合い、特定の情報を検閲させていたことがわかったのでした。

しかもフタを開けてみると、フェイスブックには、元ＦＢＩ捜査官を初め、ＮＳＡにＣＩＡ、ＤＨＳなど、国の諜報機関からの天下りメンバーが、大量に雇われていたのです。

また、コロナ禍で感染状況の管理とワクチン接種方針の指揮をとった政府機関である、ＣＤＣ（米国疾病予防管理センター）の名前は、多くの人々を驚かせました。

ＣＤＣは日常的にフェイスブックの投稿を審査し、フェイスブックとインスタグラムから、同所の推奨するワクチンを批判する投稿を報告させたり、〈子どもにワクチンを打つリスク〉についての投稿を削除させたりと、まさにやりたい放題でした。

予防接種の特許を多数所有するＣＤＣが、コロナ禍でワクチンを推奨することを「利益相反」だと批判していたある団体の顧問は、その時のことをこう振り返ります。

「私たちが正確なデータを投稿しても、ＳＮＳでは偽情報のラベルをつけられていました。でもほとんどの米国民は疑いを持ちません。これだけ多くの人が日常的に使っているＳＮＳが、まさか情報をより分けているなんて、想像もできないでしょう」

ツイッターにフェイスブック……、その後、ユーチューブもここに加わりました。

多くのアメリカ人にとって、合衆国憲法修正第１条にある「言論と出版の自由」は、建国の父が残してくれた、大切な権利です。

ジョーダン司法委員長はこれを知った時、悔しさを滲ませ、こう言いました。

「これは米国史上最も危険な言論弾圧だ」

祝　CDCアジア事務所が東京にオープン

ここで、ざわっと違和感を覚えた人がいるのではないでしょうか。

〈ちょっと待って、CDCって、どこかで聞いたことあるような……〉

はい、正解です。

CDCは、2024年2月5日に、東京事務所を開設しました。

それは今後日本政府が、コロナ禍で米国内のワクチン接種方針を決めたCDCに、次のパンデミックの際、治療法や各種対応などで、連携することを意味しています。

東京事務所は、いわば「医療版在日米軍基地」なのです。

本国アメリカで、国民が持つ懸念や不安の声に答える代わりに、フェイスブックに反対意見を黙らせるよう依頼していたという黒歴史は、日本のメディアには決して出てこないでしょう。

過去半世紀ほどの歴史が示しているように、「アメリカやEUで締めつけが厳しくなったら、ゆるい日本を目指せ」というのは、今やグローバルビジネスの合言葉です。

ならばこちらもグローバルに、小さな事実を見逃さず、すくいあげた点と点をつないでゆくことで、相手への理解を深めておきましょう。

日本事務所の開設から10日後の２月15日。

ＣＤＣの公衆衛生担当者は、ＦＤＡ（アメリカ食品医薬品局）と共に参考人としてよばれた米国議会の公聴会（新型コロナウイルス・パンデミック特別小委員会）で、このワクチンの接種後もコロナに感染し、他の人にも感染させる可能性があることを認めました。これに対し、「じゃあ何であんなに勧めたんだ」と、批判の声に晒されています。

そのＣＤＣが推奨する、未知の新型ｍＲＮＡワクチンは、日本全国各地の工場で大量生産され、２０２４年４月から、65歳以上の定期接種の一つになりました。

厚労省医薬局の中井清人医薬品審査管理課長が、「日本を魅力ある治験市場に変えてゆく時期だ」と発言し、武見敬三厚労大臣が、このワクチンの大量購入と、高齢者への定期接種を積極的に勧めるここ日本で、医師たちが鳴らす警鐘や、副反応を訴える患者たちの不安の声に、はたして「偽情報」のラベルはつけられるでしょうか？

危険な「検産複合体」(デジタル版軍産複合体)

9・11後、「テロとの戦い」から、監視カメラなどの警備ビジネスと政府が組んだ警産複合体が出てきたように、今や私たちのデータを大量に手にしたビッグテックと、検閲したい政府のタッグは「検産複合体」という新たなビッグビジネスを生み出したのでした。

みなさんは、軍産複合体という言葉を聞いたことがありますか？

政府と軍需産業がタッグを組んで、国が決めた巨額の防衛予算で軍需産業から武器を買う関係のことです。アメリカで「戦争は不況の時の公共事業」と言われるのは、戦争が長引くほど武器メーカーは儲かり、その分政治献金が増え、天下り先にもなるこのループから生まれた言葉でした。

デジタルの進化によって、戦場が現実世界と仮想空間の両方になった今、軍産複合体はハイブリッド戦争のために「検産複合体」にアップデートされたのです。

トップ商品は、世論に影響を与える「ネット上の情報操作」、マーケットは全世界です。

２０２４年２月27日。

フェイスブックのマーク・ザッカーバーグ氏が来日し、岸田総理と面談したというニュースを聞いて、私のところに問い合わせがありました。

「このタイミングでわざわざ総理がフェイスブックのＣＥＯと面談って、どうも嫌な予感がするんですが……」

その違和感、大事にして下さい。

総理とザッカーバーグが話し合ったテーマは、ＡＩ開発の他に、〝ＳＮＳ上の偽情報対策〟でした。

大きな悪事を、一般人に気づかせないテクニック

ツイッターにフェイスブックにインスタグラム、私たち日本人も日常的に使っているSNS大手が検閲していたというこの大事件に、みな最初は微妙な反応を見せました。

「フェイスブックが投稿を消してたの？　聞いたことないなあ……。まさかそれ、ロシアのフェイクニュースじゃないよね？」

「イーロン・マスクって怪しい人なんでしょう？」

私たちが想定外の情報を聞いた時、まず最初に出てくるのが先入観。

それが正確な事実かどうかより、その情報を誰から聞いたのか？　どう伝えられたのか？　によって、判断が左右されてしまうのです。

いくらイーロン・マスク氏が「自由なSNSを作るぞ！」と宣言し、内部資料を公開しても、マスク氏自体が主流メディアに叩かれているので、彼の発言は多くの場

合、そうした色眼鏡で見られてしまうでしょう。

個人に焦点を当てて報道されると、私たちは感情で反応してしまい、正義と悪の物差しが狂わされ、そのニュースの本質が見えなくなってしまいます。

案の定、メディアはファイルそのものよりも、明るみに出た内容の中の瑣末(さまつ)な間違いや、CEOであるイーロン・マスク氏本人の風がわりな性格、差別発言の数々や経営者としての資質の低さなどに焦点をずらした報道を繰り返しました。

その結果、ツイッターファイル事件は、日が経つごとに、イーロン・マスク氏個人の問題に矮小化(わいしょうか)されていったのでした。

加えて、ツイッター以外のSNSでは、当然この話題は上位に出てきませんから、1週間も経つ頃には、話題にものぼらなくなったのです。

スマホですぐ答えが手に入ることに慣れすぎてしまうと、わざわざクリックして一次情報を自分の目で読まなくても、要点を絞った数行の記事や短い動画、ヘッドラインの印象だけで判断する方が楽に感じてくるでしょう。

より短く、単純化された、感情に訴える大量の情報に高速で接することで、私たちの注意は分散させられ、立ち止まる時間は与えられず、大きな悪事や大事なことが、他の瑣末なニュースに埋もれて、すぐ忘れられてしまうのです。

ユーチューブで人気のインフルエンサーたちの「これは正しい！」「これは悪！」と大声で断定する手法もまた、感情が大きく引っ張られるので注意して下さい。

ニュースから個人を取り除くと、先入観が外れる

「反射的に判断せず、冷静に考えるために、今すぐできる簡単なことはありますか？」

ある時、中学生の読者から、そんな質問をもらいました。

例えば、メディアが事実より個人に焦点を当てていたら、判断するのをやめて、まずは頭の中でこう問いかけてみて下さい。

〈このニュースから個人を取り除いたら、印象はどう変わるだろう？〉

イーロン・マスク氏が、所有するX社で、バイデン政権が検閲の圧力をかけた、と

いう情報から、固有名詞を外してみるのです。

米国在住の50代の男性が所有するソーシャルメディア企業に、某国の政府が連絡して……。

最初に聞いた時と、少し印象が変わっていませんか？

これを、何回か繰り返し、脳内のフィルターを一枚ずつ剝がしながら、そのニュースを誰かに説明し直してみてください。

これをやると、自分でも意外に感じるような、新しい視点が出てきて驚くでしょう。

私たちは、ニュースを見ると、まず今までの人生の中で見聞きした情報や、経験から作り出した価値観のフィルターを通して、物事を判断してしまいます。

その情報を得た時の感情が強ければ強いほど、フィルターは厚くなり、判断を歪めてしまうリスクは避けられません。

こうやって先入観のフィルターを一枚一枚剝がしていくうちに、起きたことがありのまま目に映るようになります。すると自分軸に戻るので、直感が冴えてくるのがわかるでしょう。

小学校のとき、クラスで2人の生徒が、掃除係の順番を巡って喧嘩(けんか)をしたことがありました。ズルをしたのは人気者のA君で、もう一人は皆から嫌われていたB君です。その時私たちの先生は、教室の真ん中に二人を座らせると、他の生徒をどちらかの側につかせ、全員でどちらが悪いか討論させました。

一人を除いた全員がA君の側に着き、Bが悪いに決まってると口々に言いましたが、先生はしばらくすると、2つのグループを入れ変えて、今度は逆側の立場から話し合わせたのです。B君を擁護する側になると、彼の立場に自分を置き換えなければなりません。これをやることで視点が変わり、共感の気持ちが理由のない嫌悪感を薄めていきました。最後は多数決でズルしたA君が罰として掃除することが決まり、B君はその日から無視されなくなったのです。

この先生の授業でやらされた、正義と悪を入れ替えるゲームに、ジャーナリストになってから何度助けられたでしょう。マスコミやインフルエンサー、ファクトチェッカーたちが差し出してくる、加工された正義と悪が、私たちを分断し争わせるこの世界で、視点を変えることで使う共感や想像力は、誰もが大きな循環の一部だという真実を、思い出させてくれるのです。

アマゾンで本の検閲が始まっていた！

２０２４年２月６日。

ジョーダン司法委員長が、またしても衝撃の事実を公開しました。フェイスブックやツイッターに検閲圧力をかけていたバイデン政権の上級顧問アンディ・スラヴィット氏が、２０２１年から、アマゾンに反ワクチン本についての指示を出していたのです。

ＳＮＳのような会話アプリと違い、こちらはオンラインの総合小売店ですから、ここまで来ると、もう戦前回帰のような状態でしょう。

〈新型コロナウイルス〉を検索すると、反ワクチン本が、「警告ラベル」なしで上位に表示される、というクレームに、アマゾン幹部は頭を抱えました。同社の削除ポリシーには、明らかに違法なものや、何かの権利を侵害する内容、顧客満足度を著しく下げるものや、各種ポルノなどはあっても、〈反ワクチン〉は入っていなかったからです。

過去には、特定の書籍を禁止した図書検閲委員会が、4社の出版社に憲法違反だと訴えられ敗訴した判例もあり、本の検閲には、社会的リスクもありました。

〈言論の自由を重視する、ということで、ここは一つ無視するのが得策では？〉

社内でもこの慎重論に多数が賛成したのです。

けれど政府側は、そんなことではひるみません。

圧力が無視されるなら、プランBを実行するまでです。

世界一のビッグテック企業にとって、憲法より怖いアキレス腱（けん）とはなんでしょう？

バイデン政権は、偶然にも時期が重なっていた、連邦取引委員長の指名予定者の名前を、わざとマスコミに事前リークしました。

実は、以前から「独占禁止法違反」で追及され、その度にギリギリ逃げ切っていたアマゾンに、法的に多大な責任を追わせる新しい手法を、開発した人物がいたのです。「アマゾンの独占禁止法違反の矛盾」という論文が注目を浴びていた、新進気鋭の法学者であるリナ・カーン准教授でした。

そして今回、次期連邦取引委員長として白羽の矢が立ったのが、他でもない彼女だったのです。

この人事には、爆弾級の効果がありました。

新しい連邦取引委員長として、カーン准教授の名前がニュースに流れたその日のうちに、アマゾンは政府が指定してきた９冊の反ワクチン本のうち１冊の販売を停止、残り８冊をランキングに表示されない設定に変えたのでした。

プーチン大統領をインタビューして暗殺されかけた男

「私たちは、プーチンが好きだからここにいるのではない。

米国が繁栄し、自由でいることを望んでいるからです。
これを観てほしいのです。
なぜならあなたたちは、できるだけ多くのことを、知るべきだからです。
そうすれば奴隷のようにではなく、
自由な市民として
あなた自身で、判断することができるからです」

２０２４年２月のモスクワ。

ホテルのバルコニーで、一人のアメリカ人ジャーナリストが、カメラに向かって語りかけるこの映像は、長く閉じられていた扉を開き、世界の関心を一気に集め、西側諸国を震撼させたインタビュー前のものでした。

再生回数は、予告動画だけで1億回を超え、X（旧ツイッター）で公開された本編には、異なる言語の字幕がつき、様々な媒体に投稿され、２億回以上再生された後もまだ拡散され続けています。

インタビュアーの名は、タッカー・カールソン。

米シンクタンクが発行する月刊誌のファクトチェッカーとしてキャリアを積み、その後ＭＳＮＢＣやＦＯＸニュースの司会で有名になった彼が、このインタビューを決意したきっかけは、昨今の自国ジャーナリズムへの〈違和感〉でした。

ロシアやウクライナに関する情報が、あまりにも西側諸国寄りに偏っていること。

米国民の税金がこの戦争に惜しみなく投じられているにもかかわらず、納税者がプーチンがウクライナに侵攻した目的すら知らされていないこと。

一方の側からの情報しか知らされていない自国民に、逆側の情報も知ってもらいたいと思い、タッカーはモスクワ行きを決めたのでした。

結論はもらうのでなく、自らそこに向かう扉を叩く

その結果、二時間にわたるインタビューが実現。

プーチン大統領はまずは自国の歴史から紹介し、ロシアという国の成り立ちから、ウクライナとの軍事衝突に至った経緯、クリントン元大統領にＮＡＴＯへの加盟を申し出たが断られたこと、米欧露でミサイル防衛システムを共同開発する案も受け入れられなかったこと、米国がウクライナへの軍事支援を今すぐやめれば紛争は止まること、自身の宗教観に基づく世界観……。

タッカーに途中でさえぎられることもなく、始終穏やかな口調で語ったのでした。

話の内容自体は、特に踏み込んだものではなく、公にされている情報ばかりでしたが、プーチン大統領を悪と位置づける西側メディアの情報しか知らない米国民にとっては、未編集のこの映像を見るだけでも、大きな衝撃に違いありません。

プーチン氏が言葉を慎重に選んだ内容を、自分の手で事実確認することによって、視聴者が取り戻すものとは何でしょう？

主要メディアやヤフー、グーグル、フェイスブックのヘッドライン、声の大きいインフルエンサーや専門家と称する人たちに善悪の判断を委ねることの危険性は、目には見えません。私たちは簡単に結論をもらうことと引き換えに、自分の手で調べ、確かめ、比べた上で判断するという、面倒ながら人間性を失わないための大事なプロセスを、失いつつあるのではないでしょうか。

タッカーがこのインタビューを無編集で公開した意図も、まさにそこにありました。

視た人が、さらに反プーチンの思いを強めたとしても、それでもいい、と。それに共感し、場を提供したのは、Xのイーロン・マスクでした。

モスクワ滞在中に、ウクライナ諜報機関に依頼されたとして、タッカーの車に爆弾を仕掛けた容疑で逮捕者が出るなど、命がけだったようですが、やはり良くも悪くも歴史的なインタビューだったことに違いありません。

このインタビューを見た後で、自分で調べて考えて、今まで得ていた情報と比較して出した結論は、誰かにもらったものでなく、まごうことなき自分のものだからです。

アメリカという国はかつて、建国の父が残した合衆国憲法が保障する〈言論の自由〉の下で、たとえ相手の意見が自分のそれと違っても、相手が意見を持つ権利を尊重し合える国でした。

このインタビューの本質は、内容から得る結論では、決してありません。

デジタル時代の私たちに投げられた、一つの「問い」が、見えるでしょうか？

ジャーナリズムの使命——選択肢のある社会

タッカーが予測していた通り、ＣＮＮやＢＢＣ、カナダや日本や西側メディアの反応は、どれも揃って批判的でした。

米ジャーナリストをプロパガンダに利用する狡猾（こうかつ）なプーチンと、フォックスニュースを解雇され、売名のためにモスクワまで行った落ち目の元司会者、という描き方です。

〈プーチンの言うことを、鵜呑みにしてはいけない〉

〈タッカーはバカで嘘つきでプーチンに利用される雑魚(ざこ)〉

〈このインタビューは、トランプの選挙戦略だ〉

いずれも、インタビューの内容にはあまり触れず、両者を人間的に貶(おと)しめるようなコメントのオンパレードばかりでした。

けれど表のメディアとは対照的に、ネットではこの動画がすごい勢いで拡がってゆき、内容を掘り下げる解説や、主要メディアや政府の批判に対する反論も増えてゆきます。

しかし間もなくしてこのニュースは、別の大きな事件によって、かき消されることになりました。

ロシアの刑務所で服役中の、反体制派活動家アレクセイ・ナワリヌイ氏が、獄中死したのです。

死因は不明、ナワリヌイの妻は、即座にプーチンを非難しました。

事件の詳細が不明なまま、わずか数時間で、西側諸国のヘッドラインは、殺人疑惑をプーチンに向けた報道で埋め尽くされます。
「プーチンがやったに違いない」（バイデン大統領）
「プーチンがやったに違いない」（ヒラリー元国務長官）
「暗殺は明らか、ロシアをテロリスト国家とバイデン政権は指定すべきだ」（リンゼイ・グラハム上院議員）
「明らかにプーチンに殺害された」（ゼレンスキー大統領）
「ロシアはこの死について説明する必要がある」（ＮＡＴＯ事務総長）
「プーチンがやった」（日本のコメンテーターたち）
大統領選挙を控えたプーチンが、刑務所内にいる反政府活動家を殺害したという報道が流れる中、ＳＮＳには、英雄として描かれたナワリヌイの死に対する悲しみと、冷血な権力者プーチンへの怒りが、オセロの駒が白か黒一色に、パタパタと変わってゆくように、拡がってゆきました。
メディアが横並びに、同じセンセーショナルなニュースを流す時は、何が正しいか、正しくないかを判断するための物差しは、揺すぶられる感情に遮られて、見えにくくなってしまいます。

そんな時は、結論を焦らず、価値判断を一時停止して、そこに至る時系列や、関わった人物、お金の流れなど、できるだけ多くの情報を集めてください。

そして、自分の中のフィルターを一枚一枚剥がしながら、自分軸に戻すのです。


２０２４年2月25日。

ウクライナ国防省のブダノフ情報総局長は、記者会見で、ロシアの刑務所で死亡した反体制派の指導者、ナワリヌイ氏の死因が、暗殺ではなく自然死だったという調査結果を発表しました。

「がっかりさせるかもしれないが、われわれの調査で確認されたことは、彼が血栓で死亡したということだ。確認も取れている」

第5章

〈民は愚かで弱い〉の違和感

～未来は選べる

EU版農民一揆の勝利

２０２４年２月６日。

ＥＵ全域に拡大する農民たちの抗議デモが、欧州の政治を一歩前に動かしました。

欧州委員会が〈２０４０年までに農業分野の二酸化炭素30％減を求める政策〉を、撤回したのです。

ディーゼル燃料補助の打切りも、石油燃料への補助金カットも、トラクター税の免除廃止も撤回され、２０３０年までにＥＵ全体で農薬使用量を半減させる方針も見送られました。ウクライナ産の安い輸入農産物は、安全性のチェックを始め、厳しく管理されることが決定。ＥＵのグリーン計画草案は修正され、農民たちの要望通り「農業の重要性」が新たに加筆されたのです。

アントワープ港を封鎖していたベルギー農民、欧州委員会に卵を投げつけた後に国境を越えてドイツの抗議デモに加わったポーランド農民、地方選挙で勝利して上院の最大野党となったオランダ農民の他、スコットランド、リトアニア、ルーマニア、ギリシャ、イタリア、ポルトガル、アイルランド、ブルガリア、イングランド、ウェールズ、モルドバ……、自らの意志を表明し立ち上がる農民たちに加えて、製造業や流通関係など他業種からも次々に参加するこの抗議デモは、3月現在もまだ、勢いが止む気配がありません。

フランスでは、真摯に対応しないなら全員パリに移住してくるぞと農民たちに脅された、34歳のガブリエル・アッタル首相が、大幅に譲歩しました。

ワイン生産者への緊急援助拡大と農家への現金支給、ウクライナ産の安い輸入農産物や小売店からの値下げ圧力への規制、食の安全についての要求も、きっちり落とし前がつけられたのです。

＊EUで禁止されている殺虫剤チアクロプリドで処理した野菜や果物の輸入禁止。
＊欧州とフランスの衛生基準に満たない輸入食品を防ぐ「欧州管理部隊」の創設。
＊南米南部共同市場（ブラジル・アルゼンチン・ウルグアイ・パラグアイ・ボリビア）と

の自由貿易協定に反対する。
＊畜産農家に1億5000万ユーロ（248億円）の支援と、農地の相続税削減。
＊新規就農者への融資用に20億ユーロ（324億円）の支援。
＊農家を買い叩いた企業や小売店には即罰金（売上の2％）。

ここまで約束させてようやく、農民たちは、パリの道路封鎖を解除したのでした。
加盟国政府の中で、唯一農民たちの訴えに共感したのは、ハンガリーのオルバン首相です。

EU首脳会議に出席した際に、現地で抗議デモをする農民たちの話を直接聞いたオルバン首相は、ブリュッセルの記者たちに向かって、こう言いました。

「EUに今必要なのは、全く新しいタイプのエリートたちと真のリーダーだろう。農業に限らず、ウクライナ紛争も移民も税金も、市民の声が無視される民主主義は欠陥品以外の何者でもない。解決のための私の提案はこうだ。今の欧州委員会のメンバーを全員辞めさせて、国民のために全力を尽くす、真のリーダーと入れ替えるんだ」

〈緊急事態法〉を、政府の私物にさせてはなりません

そもそも、「EU版農民一揆」の火つけ役である、コロナワクチン強制に反対したカナダのトラック運転手たちは、今どうしているのでしょう？

こちらも、やりたい放題やったカナダのトルドー首相に、きっちりお灸（きゅう）が据えられました。

2024年1月23日。

この日、カナダ史上、最も重要な判決が出されたのです。

トラック運転手のワクチン強制反対デモに、トルドー首相が〈緊急事態法〉を発令し、裁判所命令なしに抗議者の銀行口座と暗号資産を凍結したことに〈憲法違反〉の判決を出した、リチャード・モズレー判事は、はっきりとこう言いました。

「〈緊急事態法〉は、政府が自分の都合で、好き勝手に発動するものではない。あくまでも、色々手を尽くして、もう他にやりようがなくなった時の、『最後の手

段』としてのみ、考慮されるべきものだ」

この判決を受けて、カナダ憲法財団のクリスティン・V・ゲイン弁護士は、国民に向かってこう呼びかけました。

〈私たちはもう決して、緊急事態法を、政府の私物にさせてはなりません〉

緊急事態法を悪用した政府を相手に、2年にわたり法廷で闘ってきたのは、カナダ憲法財団とカナダ自由人権協会、そして地方自治を尊ぶ複数の州政府でした。

政府によるワクチン強制を行き過ぎだと反対し続けた、人民党のマキシム・ベルニエ党首は、世界中がパンデミックへの恐怖に覆われる中でも、おかしいと感じた違和感を無視せず行動した一人として、この判決を賞賛しました。

「政府の言いなりになりさがって劣化したと思っていたこの国の司法も、憲法と国民の権利を守るために、案外ちゃんと仕事してるじゃないか」

「デジタル検閲」にノーの意思表示は今のうち

「ホワイトハウスやその他の政府機関は、ＳＮＳ企業に対し、言論の自由を含むコンテンツを、削除したり抑圧したり、見えなくさせるよう強制してはならない」

２０２３年７月４日。

米ルイジアナ州西部地区連邦地方裁判所で、「言論の自由」と「検閲」に関する重要な判決が下されました。

裁判の主要な原告は、２０２４年11月の大統領選候補者の一人、ロバート・Ｆ・ケネディJr.。

第４章で述べた、ホワイトハウスやＣＤＣ、ＦＢＩなど、バイデン政権の政府機関が、ＳＮＳ大手３社に圧力をかけ、自分や他の国民の投稿や書籍に対して検閲キャンペーンを展開したあの一連の行為に対し、ケネディ氏は違憲訴訟を起こしていたのです。

米政府にとっては、実に実に嫌な相手でした。

除草剤の健康被害をメーカーに訴えて、誰も勝てなかった〈モンサント裁判〉を勝訴に導いた敏腕弁護士のケネディJr.は、今回もありとあらゆる証拠をそろえて挑みました。

その結果、政府が新型コロナ関係だけでなく、選挙やガソリン価格、気候変動やジェンダー、中絶に関する意見など、もうあっちもこっちも検閲しまくっていたことが明らかにされたのでした。

テリー・A・ドーティ判事は、ケネディ氏が2024年の大統領選の候補者でもあることから、政府がまた都合の悪い意見をつぶし、選挙にマイナスの影響を及ぼす可能性があること、コロナの脅威が去った後も、この先、別の緊急事態が起きた時、被告（バイデン政権）は再び、SNS企業に圧力をかけて異なる意見を抑圧させる可能性が高いと判断し、政権幹部にそのような悪事を禁じる〈仮差し止め命令〉を出したのです。

裁判の素晴らしいところは、公式な証拠書類が集められるところです。ケネディ氏が集めた証拠書類を、ジム・ジョーダン司法委員長が公開し、今度は司法委員会でのさらなる調査が始まったのでした。

原告団の一人は、この裁判についてしみじみとこう言いました。

「この裁判は、ネット上で自分たちの投稿や動画が表示されない不自然な現象が続いた時、もしかして誰かがわざとやっているのでは？　という、小さな疑惑から生まれました。

心に浮かんだあの違和感を、そのままにしなくて本当によかった。

デジタル検閲にノーを言うなら、今のうちだと思います。

どれだけ便利になっても、言論の自由や合衆国憲法は、決して失ってはいけない民主主義の原点です。何が本当で何がフェイクかわからなくなったこの世界で、私たちが、自分自身を見失わないためにも」

ＳＮＳ企業とアメリカ政府による言論統制を見て、いち早く国民を守る法律に着手したのが、権力による検閲について苦い歴史を持つ、ポーランドです。

ズビグニエフ・ジョブロ法務大臣はこう言いました。

「ソーシャルメディアのユーザーは、自分たちの権利が保護されていると感じなければならない。表現に対する検閲はあり得ない。言論と討論の自由は民主主義の本質なのだ」

この法律が成立すると、国民は不当な削除やアカウント閉鎖に異議を申し立てる権利が与えられ、検閲されたユーザーは裁判で救済を求めることができ、言論の自由を不当に侵害したSNS企業は、ポーランド政府によって処罰されるようになります。

ナチスドイツに苦しめられた過去を繰り返さぬよう、別の未来へ舵を切る国が、特高や治安維持法の歴史をもつ私たちの国日本に、海の向こうから鳴らしている警鐘が聞こえますか？

日本でもSNSの言論統制が始まる⁉

デジタル監視技術と評価制度で国民の思想を抜かりなく管理する〈中国〉や、そもそも反対意見など言えない〈北朝鮮〉、世界一の監視カメラ数を誇るイギリスに、西側メディアで大統領の悪魔っぷりがしょっ中報道される、泣く子も黙る〈おそロシア〉。

〈検閲って、そういう国で、起きてるものでしょう？〉

本当にそうでしょうか？

２０２４年２月20日。

自民党の情報通信戦略調査会は、能登地震で偽情報がネットに投稿されたことなどを理由に、〈ネット上の誹謗中傷に対応するための緊急提言〉を林芳正官房長官に提出、そのための新しい制度を作る方針を固めました。

もしもこのニュースを聞いてざわっとしたら、その違和感を、決して無視しないで下さい。

いちばん肝心な、〈偽情報〉や〈誹謗中傷〉の定義が、まだ明らかにされていないからです。

ドーティ判事の締めの言葉は、ここ日本でも他人事ではありません。

「言論の自由は、憲法の基本的人権であり、その損害は取り返しがつかない」

弁護士なしで法律の知識がなくても、市民が戦える方法

政府の検閲し放題に次々にメスが入り始めたアメリカの例が示すように、デジタルが主流になるこれからの時代、公文書や一次情報は私たちの身を守る重要な武器になります。

悪事を働いた証拠を、行政や企業は絶対に出そうとしません。

日本でも、新型コロナワクチンの副反応や超過死亡について、どれだけ野党議員や市民団体がデータを揃えて訴えても、厚労大臣を始め、政府側はのらりくらりと誤魔化し続けています。

新型コロナワクチン接種後の副反応について、文書公開を拒否していた名古屋市もその一つでした。

けれど、こうした市の対応に抱いた違和感を行動に移した、一人の会社員がいたの

です。

２０２３年６月。

愛知県あま市在住のその男性が名古屋市に請求したのは、コロナワクチンを接種した後の副反応の症状について、医療機関から国へ出す報告書の写しでした。

「個人が特定されてしまうから出せない」と、請求を退ける市の対応に、男性は違和感を覚えます。

〈ワクチンのロット番号だけで個人が特定できる？　おかしくないか？〉

確かに、こうして聞くと、法律の知識がなくとも、ちょっと考えればわかること。

なんともふざけた、市の対応です。

そんな理由で文書を非公開にするのは違法だ！　と、彼は名古屋市に文書の一部公開と５０００円の慰謝料を求める裁判を起こします。

弁護士もいない、たった一人の戦いでした。

結果は、男性側の勝訴。

ほとんど知られていませんが、自治体が保管する「ワクチン副反応の情報」は、個人情報に当たらないのです。名古屋地裁の剣持亮裁判長は、「市が知る権利を侵害した」として、男性の請求を認めたのでした。

その後男性はこの体験を、「やってみると、皆さんが思っているよりめちゃめちゃ簡単ですよ」と動画で語りました。この時の判決文を添付した裁判で、今度は別の人が勝訴！

行政と戦うというのは、ハードルが高く感じますが、違和感を行動に移す、ほんの少しの勇気があれば、私たち市民も、あきらめの壁を打ち破れるのです。

グローバル化の中では、世界中の消費者が敵になる

2024年2月5日。

伊藤忠商事の鉢村剛副社長は、記者会見で、ガザ紛争で武器工場をフル回転中の、イスラエル軍需産業最大手エルビット・システムズ社との提携を、2月中をめどに解

消することを発表しました。

　国際司法裁判所がイスラエルに暫定措置命令（「あらゆる手段を使って大量虐殺を防ぐべし」）を出した上に、マレーシアを含む海外では、ガザの爆撃が始まってから、スターバックスやマクドナルド、コカ・コーラなど、イスラエル関連企業に対する大々的なボイコットが呼びかけられ、大変な騒ぎになっているのです。

　経営者も店員も顧客もイスラム教徒のマレーシアには、傘下のファミリーマートが３５７店あり、２０２５年までに１０００店舗達成を目指していた矢先でした。

　日本では不買運動というと、その効果をあなどるような声がよく聞こえてきます。

〈不買運動で効果があった事例なんか、聞いたことない〉

　でも、本当にそうでしょうか？

　ここで、お金の流れを見てみましょう。

　たとえばスターバックスはアメリカ企業ですが、今や国外店舗の方がずっと数が多く、数年のうちに利益の３分の２は海外が占めるとの予測から、これからは外国人顧客の心を、しっかりつかまねばなりません。

同社が急激に進出しているアジア諸国では、お客様の大半がパレスチナ支持。力関係が逆転しているのです。

エジプトやマレーシアでは、イスラエルの爆撃に抗議する何千通もの手紙や大量の署名がスターバックス社に送られ、店に客が来なくなりました。

通常の７割引きの値段という出血大サービスにしても閑古鳥（かんこどり）が鳴き続け、光熱費と人件費が無駄になるからと営業時間がどんどん短縮され、利益が大幅に激減。２週間も経たないうちに株価が下がり出しました。

株価がぐんぐん下がるにつれて、株主たちの機嫌も悪くなり、幹部が頭をかかえるこの様子は、２０１８年の米国で、除草剤の健康リスクを表示しなかったとして訴えられて企業が負け、客や小売店が一気に離れていった「モンサント裁判」でも見られた光景でした。

グローバル資本主義では、世界中の消費者が、敵にも味方にもなるのです。

マレーシアのボイコット運動は拡大を続け、このままでは、親会社である伊藤忠が目標とする1000店舗達成どころか、スターバックスの二の舞になりかねません。

戦々恐々としていたのでしょう、伊藤忠の決定を知った現地のファミリーマートは、即座に消費者に向かって、こう釈明しました。

「伊藤忠はイスラエルの軍事企業との協力覚書を近々終了します。ファミリーマート・マレーシアは、暴力や殺人を支持しないという立場を改めて表明します。われわれはイスラエルに貢献したり寄付したりせず、取引もしません」

日本からガザでの殺戮を止めたいと本気で願い、連日伊藤忠東京本社の前で、軍需産業との契約解除を訴えていた「有志の会」の市民たちも、ちょっとやそっとではあきらめません。

署名約2万5000筆を本社に届け、記者会見で伊藤忠側の悪びれない態度を批判した彼らが次に打ち出したのも、グローバル資本主義における消費者の力を、大いに使う作戦でした。

〈よろしい、ならば日本でも、ファミリーマート不買運動だ〉

企業イメージは利益に直結しますから、社名を掲げた大人数のデモ映像や、同じ業界内の大企業撤退がニュースになると、他の企業にも飛び火してゆきます。

2月9日には、伊藤忠の後に続いて、日本エヤークラフトサプライ社も、同じイスラエル軍事大手との協定を、月末をめどに終了することを発表したのでした。

近江商人の〈三方よし〉は日本の最大資産

実は伊藤忠の中にも、グループ全体の経営理念に逆行するその姿勢に罪悪感や気まずさを感じ、反対デモに参加したり、匿名でXに投稿し続けていた社員がいました（「フライデーデジタル」２０２４年2月25日）。

インタビューの中で、そもそも伊藤忠に惹かれたきっかけだったと語られたその理念とは、「売り手よし・買い手よし・世間よし」の「三方よし」という、近江商人の心得です。

売り手と買い手のどちらも満足し、社会にも貢献するのが本当に良い商売。
まさに日本が世界に誇る、最大資産の一つでしょう。
アメリカも、今のような新自由主義の嵐が吹き荒れる前には、キリスト教の奉仕の精神をベースにした、社会のための企業になるという理想が、確かに存在していたのです。

道を踏み外し、暴走する自国を立ち止まらせ、お金で買えない企業価値を再び思い出させようと、リーマンショックの後、多くの学生たちがＮＧ企業の入り口に、こんなステッカーを貼って回ったのでした。

〈倫理なくして利益なし〉

巨大化した企業権力を民主化するとい

話題になった１コマ風刺画
“THE PEOPLE DON’T KNOW THEIR TRUE POWER”

出所：https://www.pinterest.jp/pin/159807486753500419/

う、私たち消費者の持つ、ささやかに見えて実は大きな力が、見えますか？

水源は手放しません——自ら決めて、勝ち取った奈良市の市民

日本の大事な水道を、「民営化します」などと、当時の麻生副総理が海外で勝手に宣言してからというもの、政府は全国の自治体を、口を酸っぱくして、こう揺さぶってきました。

「台所事情も苦しいだろうし、国も借金だらけでこれ以上助けられない、ここは一つ住民を守るために、水道の運営権は企業に売りなさい。

小さな地域がバラバラに水源を持つのは非効率だから、1つにまとめてしまいなさい」

民間企業が参入しやすい環境を作る方向に、指導してきたのです。

国から財源がないと言われ、仕方なく民間に……そう考える自治体は少なくありません。

でも、本当にそうでしょうか？

第1章でも触れたように、能登半島地震は、災害時には「広域化」より小さな水源もある方がよいことを、私たちに気づかせてくれました。被災地で大規模な断水が起こる中、自前の水源を持つ地域は、すぐに水を手に入れられたのです。

大自然と共に生きてきた日本人に、天が教えてくれたのかもしれません。

歴史を振り返ればわかるように、有事に強いのは、画一化より多様化だからです。

効率重視で運営は民間にまとめようというやり方が、自然災害大国のここ日本でもベストとは限りません。

その違和感を行動に移したのが、奈良県奈良市の人々でした。

もともと奈良市は2022年時点で、「水道の民営化はしません」と表明していましたが、県域水道一本化については2025年をめどに、県と県内27市町村でどうするかが話し合われていたのです。

そんな中、一本化に対して1万人以上の反対署名を奈良市に提出したのが、市民団体「奈良の水道問題を考える市民フォーラム」でした。

ここのメンバーたちは、どうしたら自分たちの住む地域の水が、ずっと安心安全に維持できるかを真剣に考え、一人でも多くの住民に当事者として考えてもらうよう、勉強会を重ねて呼びかけていったのです。その結果、奈良市は一本化の方針を撤回し、水源と利水地域と水道料金の決定権は、他の地域や企業に委譲されないことになったのでした。

まずは知る、話はそれからだ――有機農業の勉強を一から始める群馬県

第4章でも触れたように、私たちは過去に見聞きした大量の知識や情報が作り上げた、脳内フィルターを通して物事を見ています。

特に、今までの常識を打ち破るような新しい何かを始めましょう、と言われた時には、自然に備わった防衛本能が働いて、疑う気持ちが出てくるもの。

先のことはわからないのに、失敗を避けようと、先入観がブレーキをかけてしまう

のです。

それを打ち破る実践に踏み切ったのが、群馬県農政部の人々でした。

環境保護の世界的潮流や農業資材の高騰を受け、日本政府は２０２３年に「みどりの食料システム戦略」という新しい方針を出しています。

農薬は極力減らし、有機栽培の畑も増やして……と書かれているものの、有機農業は収穫量が少なく商売として成立しない、殺虫剤を使わないと大量の虫がつき、手間と時間がかかりすぎる、など、慣行農業のベテランたちからは、言うはやすし、でもねぇ……と懸念の声。

一方地球環境への関心が高い若い世代は有機農業に乗り気と、世代間格差はなかなか埋まりません。

そこで、まだ未知数のものに白か黒かをつける代わりに、まずは職員全員に、有機農業の講習を受けさせることにしました。

全国初の試みです。

疑いや疑問を一旦脇に置き、まずは知らなかったことを知る。

それから立ち止まって、もう一度考えると、スタート地点はどちらの側であっても、目に映る世界はその前より変わっているからです。

自分たちの地域で、食べるものをどう作ってゆくかは、そこに住む人々の心と身体だけでなく、地域経済や共同体、環境、文化にまで関わる大事なこと。

国から来た方針を、ただ下におろすのではなく、始める前の段階でどちらが正しいかを決めるのでもなく、まずは指導する自分たち行政側が、思い込みを外して新しいことを共に学び、考え、納得してから地域に発信しよう。

天は、乗り越えられない課題は与えません。

群馬県農政部の柔らかい発想は、これから全国各地で有機耕作地を増やしていこうという国の方針を進める上で、一つの貴重なヒントになるはずです。

「真実を伝えたら孤立する」そんな時には魔法の言葉

「違和感」を持って自分で調べたことを、家族や同僚に伝えたら距離を置かれてしまったという相談が、ここ数年とても増えてきました。

「マイナンバーカードは情報漏れてるよと親に言ったら、変な動画を見すぎじゃないのか？と言われた」

「会社で一人だけワクチンを拒否していたら〈陰謀論にハマった人〉と陰口を言われていた」

「違和感を友達に話しても、皆テレビやインフルエンサーを信じていて気まずい空気になる」

「食の安全について子どもに伝えたいのに、夫と意見が合わず、気持ちが折れてくる」

「周りの方が間違っているはずなのに、わかってもらえなくて辛いです。私がおかしいのでしょうか？」

いいえ、おかしくありません。

今、全世界の人が、同じ悩みに直面しているからです。

テクノロジーの進化によって、私たちは今、かつてないほどに、見えない形で情報統制しやすい社会に生きています。

〈正しいか、間違ってるか〉

〈正義か悪か〉

〈ゼロか100か〉

デジタル世界の二元論におっこちてしまったが最後、思い込みやステレオタイプが強化され、自分の生きる現実の中に、第三の視点が入ってこなくなっても、気がつきません。

人間は、外の世界を見るように、自分自身のことも見ていますから、白か黒かだけの世界にいると、正しくないものを許せなくなる一方で、間違えることも怖くなり、だんだん本当の自分がわからなくなってしまいます。

かつて9・11テロを現場で体験した後、自分がこの落とし穴に入り込んでしまった時もそうでした。

「テロとの戦い」一色のマスコミ報道が、どう見ても偏っていることへの違和感を口に出すたびに、アメリカ人の同僚に冷たい反応をされたのです。イラク戦争で米軍が使った劣化ウラン弾のことを話したイギリス人の友人に「ミカはテロリストの味方になったの？」と言われたこともあります。

高校生を騙して入隊させたり、貧しい派遣社員を海外勤務地だと言って戦場に送ったりと、一部の企業だけが大儲けする「戦争の民営化」を取材してまとめた本の企画書（『ルポ　貧困大国アメリカ』）を、帰国してからあちこちの出版社に送った時、ある社長の返事はこうでした。

「正直言ってこれは売れないと思いますよ。民営化された戦争なんて、聞いたこともないし、日本人には理解されない。もっと女性らしい、生き方エッセイあたりを書きませんか」

理解されなくて孤独を感じた時、私がいつも思い出すのは、大学時代の親友でキューバ人のアーニャが教えてくれた、魔法の言葉「自分を好き?」です。

保守的で厳格な両親に育てられ、若くして結婚したキューバ移民の彼女は、ニューヨークの多様性社会に暮らす中で、親の価値観と本当の自分とのギャップに、とても苦しんだ経験がありました。

「両親に素の自分を理解してもらえなくて、本当に辛かった。キューバ人にとって家族は何より大切だから。伝統的なキューバンコミュニティも、受け入れてくれない。でも心に抱いている違和感を無視して周りに合わせたら、一番大事な、本当の自分がなくなってしまうでしょう?」

アーニャが出した結論は、価値判断を、周りの人でなく未来の自分に委ねることでした。理解されなくても意思を貫く自分か、あきらめて沈黙し、長い物に巻かれる自分か? どちらの自分を選ぶのか?

前者を選んだ彼女は思い切って離婚して就職し、数年間自活した後、今ではご両親とも和解して幸せに暮らしています。

他人や社会の価値観は、時代とともに変わるもの。

周りの人や学校や、政府・マスコミが流す情報で作られたとしても、いつどんなきっかけで変わるかわかりません。

けれど自分にだけは、嘘はつけない。死ぬまでずっと一緒なのだから、と彼女は私に言いました。

「信じていることを続けるかどうか迷ったり、誰にもわかってもらえなくて辛い時は、10年先の自分に向かってこう聞いてみて。

『そこから振り返った時、どちらの道を選んだ自分の方を誇りに思う？』」

「今を生きる」で未来が創れる――日本人の精神性が世界を救う

聖書の中にいちばんよく出てくる言葉が何か、知っていますか？

〈恐れるな〉

恐怖が創り出す思考停止はビジネスになるので、スマホの中は、恐れや不安を刺激するものでいっぱいです。

SNSで、最もスピーディに拡散されるのも、怒りと恐怖。

スマホが市場に出て以降の売り上げと、十代の子供たちの自殺率の推移がほぼ重なることは、決して偶然ではありません。

何よりもまずいのは、過去を後悔し、未来を心配してばかりいると、意識が今ここに集中できず、心と体と魂がバラバラになってしまい、為政者にとって、一番洗脳しやすい状態になってしまうことです。

恐れにつかまらない最良の方法は、中途半端に抵抗せず、その場で思い切り怖がってしまうこと。

感情は感じきることで消えますから、そちらにとられていた注意が再び戻ってきて、直感の冴えた自分軸に戻れるからです。

スマホに頭を持っていかれないように、生活の中で自分の動きに注意を向けるというのも、おすすめです。

朝起きて、歯を磨いて、服を着替えて、ご飯を食べる前に、胸の前でそっと手を合わせる……一つひとつの仕草を、意識して意図的にやることで、天とつながれると教えてくれたのは、京都に住む茶人の、半澤鶴子先生でした。

日本に帰国してから気づいたのは、これを徹底した「道」の存在です。

茶道に花道に合気道、どれもきちんと型があり、その一つ一つに注意をこめる姿があんなにも美しく胸を打つのは、そうすることで瞬間を１００％生きているからなのでしょう。

〈違和感〉を覚えたら、まだ大丈夫、と安心して下さい。

感じる力が働いていることは、思考停止した受け身の消費者でなく、温かい血の通った身体と健やかな心を持つ、人間である証拠だからです。

〈民は愚かで弱い〉というのは、私たちがそれを受け入れ、自信を失い、無力になることで得をする誰かからの、刷り込みにすぎません。

この章に出てくる、日常の中でふと抱く違和感を行動に変えることで、本来の力を取り戻し社会を変え始めた、たくさんの普通の人々のように、私たちが、今この瞬間に意識を向け、自分の頭で考え、次の現実を決める力を手放さないかぎり、未来はいくらでも創り出してゆけるのです。

参考文献

第1章

＊https://www.soumu.go.jp/main_content/000879385.pdf（「地方自治法の一部を改正する法律の概要」令和5年5月8日　総務省）

＊『ためされた地方自治――原発の代理戦争にゆれた能登半島・珠洲市民の13年』山秋真（桂書房）２００７年

＊『水は誰のものか―水循環をとりまく自治体の課題』橋本淳司（自治体議会政策学会叢書）２０１２年

＊『新ＮＩＳＡ　商品選び完全ガイド』（日経ムック）（日本経済新聞出版）２０２３年

＊『大改正でどう変わる？　新ＮＩＳＡ　徹底活用術』竹川美奈子（日本経済新聞出版）２０２３年

＊https://www.nra.go.jp/data/000468364.pdf（「令和６年能登半島地震後の志賀原子力発電所の現状及び今後の対応」令和6年2月7日　原子力規制庁）

＊https://www.env.go.jp/council/content/03recycle03/000183808.pdf（「再生可能エネルギー発電設備の廃棄・リサイクルに係る現状及び課題について」令和5年4月　環境省）

＊https://www.fsa.go.jp/policy/pjlamc/20231214.html（「資産運用立国について」令和6年1月24日　金融庁）

＊https://www.soumu.go.jp/main_content/000671904.pdf（「電気通信事業法及びＮＴＴ法の一部を改正する法律案（概要）」　総務省）

第2章

＊http://www.offshore-technology.com/projects/leviathan-gas-field-levantine-israel/（Leviathan Gas Field, Mediterranean Sea, Israel）

* http://m.theage.com.au/business/options-widen-for-woodsides-leviathan-partners-20131219-2znu6.html（Options widen for Woodside's Leviathan partners）

* https://elaws.e-gov.go.jp/document?lawid=505AC0000000069_20230623_000000000000000（「我が国の防衛力の抜本的な強化等のために必要な財源の確保に関する特別措置法（令和五年法律第六十九号）」）

* https://www.mof.go.jp/about_mof/bills/211diet/jbic20230210h.html（株式会社国際協力銀行法の一部を改正する法律案について　令和5年2月　財務省）

* https://jp.reuters.com/world/us/HHLIZ35LEZLMPH6O57HRTELRVE-2023-09-10/（米、「インド・中東・欧州経済回廊」で覚書　中国に対抗　ロイター　2023年9月10日）

* https://fsbrg.net/the-smart-city-of-gaza/（The SmartCity in GAZA 'Technologies of Containment and the Urban Condition' PhD Research Goldsmiths, University of London 2015 – 2019）

* https://www.mof.go.jp/about_mof/bills/211diet/i20230210g.pdf（「国際通貨基金及び国際復興開発銀行への加盟に伴う措置に関する法律の一部を改正する法律案」令和5年2月　財務省）

第3章

* https://www.maff.go.jp/j/law/bill/213/index.html（「食料・農業・農村基本法の一部を改正する法律案」令和6年2月27日　農林水産省）

* 望月新三郎『よみがえった水仙』（岩崎書店）1985年

* NGOs initiate legal challenge against EU glyphosate re-approval
https://www.pan-europe.info/press-releases/2024/01/ngos-initiate-legal-challenge-against-eu-glyphosate-re-approval
（EUでグリホサーと裁判開始　2024年1月）

＊https://www.jetro.go.jp/ext_images/_News/announcement/2023/52933042979ca942/JPN_Fish1.pdf（「タイにおけるティラピアの超高速品種改良に係る実証事業」日ＡＳＥＡＮにおけるアジアＤＸ促進事業：日本貿易振興機構）

第４章

＊https://judiciary.house.gov/sites/evo-subsites/republicans-judiciary.house.gov/files/evo-media-document/EIP_Jira_Ticket_Staff_Report_11-6-23_Clean.pdf（米国下院司法委員会の検閲産業複合体に関する報告書　２０２３年６月11日）

＊U.S. House Judiciary Select Subcommittee on the Weaponization of the Federal Government. C-SPAN. March 9, 2023.

＊//www.soumu.go.jp/main_content/000831952.pdf（ＥＵ・デジタルサービス法（（ＤＳＡ）の概要　総務省　プラットフォームサービスに関する研究会　２０２２年７月５日）

＊https://sp.m.jiji.com/article/show/3174266?free=1（「取材に応じるウクライナ情報総局長官」２０２４年２月26日時事通信）

第５章

＊https://www.nara-np.co.jp/news/20230728212459.html（「奈良県知事の方針変更に奈良市長「積み上げてきた議論をゼロにし、関係を再構築するハードな取り組み」- 県域水道一体化」奈良新聞　２０２３年７月28日）

＊https://www.nikkei.com/article/DGXZQOUC059XM0V00C24A2000000/（「伊藤忠、イスラエル企業との協業覚書終了へ」日本経済新聞　２０２４年２月５日）

＊https://apnews.com/article/farmers-european-union-protest-czech-poland-slovakia-931b767c20076281451bc-cab70f70084（Farmers from 10 EU countries join forces — and tractors — to protest agricultural policies 2024/2/23 AP） *https://www.reuters.com/world/europe/eu-set-recommend-deep-co2-cuts-2040-climate-target-2024-02-06/（EU recommends ambitious 2040 climate target, goes light on farming）